10655561

Marcel Vaarmeijer

Su-su-superster

Van Holkema & Warendorf

Met speciale dank aan Sifrah Spanjer
voor het proeflezen en de muziektips

ISBN 978 90 00 31888 9
NUR 284

Uitgeverij Unieboek | Het Spectrum bv,
Postbus 97, 3990 DB Houten

www.unieboekspectrum.nl
www.marcelvaarmeijer.nl

Tekst: Marcel Vaarmeijer
Omslagontwerp: Davy van der Elsken, DPS, Amsterdam
Zetwerk binnenwerk: ZetSpiegel, Best

Everybody needs inspiration
Everybody needs a song
A beautiful melody
When the night's so long

'When I look at you'
Miley Cyrus

De stotterkoning

Bij ons thuis kan niemand wat. Mijn vader kan niet timmeren, mijn moeder kan niet koken, mijn zus kan niet leren en ik kan niet zwemmen. De enige die iets kan is mijn broer Maikel. Die kan geweldig stotteren. Als je hem een vraag stelt, duurt het minstens drie weken voordat je antwoord hebt. Het is echt verschrikkelijk.

Op school wordt Maikel gepest. 'Harry Stotter! Su-su-sukkel! Stuiterstrotje!' Dat krijgt hij elke dag naar zijn hoofd geslingerd. En hij is niet de enige. Ook kinderen met rood haar, een bril, een dikke kont of een gezicht vol sproeten worden voor van alles en nog wat uitgemaakt.

Ik had gehoopt dat dat flauwe gedoe na de basisschool wel zou stoppen. Maar op de middelbare school gaat het gewoon door. Zelfs op het lyceum, waar Maikel zit. Je zou denken dat daar allemaal keurige, superintelligente studiebollen rondlopen. Nou, vergeet het maar. Die zogenaamde keurige, intelligente studiebollen zijn net zo gemeen en kinderachtig als de kleuters in groep twee.

Op een dag was mijn vader het zat en is hij naar Maikels school gegaan. Daar heeft hij een heftig gesprek gehad met zijn klassenmentor, en daarna met de directeur van de school. Die zei: 'We

vinden het bijzonder vervelend voor uw zoon, meneer Westbroek, maar wij kunnen er weinig aan doen.'
'HOEZO, WEINIG AAN DOEN?' bulderde mijn vader. 'JULLIE DOEN HELEMAAL NIETS!'
Mijn vader wordt bijna nooit boos. Maar áls hij het wordt, kun je beter onder de bank kruipen.
De directeur probeerde heel rustig te blijven. 'Maakt u zich niet druk, meneer Westbroek,' zei hij. 'Maikel is een van onze beste leerlingen. Hij haalt cijfers waar de meeste kinderen alleen maar van kunnen dromen.'
Toen ontplofte mijn vader helemaal. Als hij boos is moet je nooit tegen hem zeggen dat hij zich niet druk moet maken, want dan wordt het nog veel erger.
'VINDT U HET GEK?' schreeuwde hij. 'DIE JONGEN ZIT AL TIEN JAAR ALLEEN OP ZIJN ZOLDERKAMERTJE, DAN HEB JE TIJD ZAT OM HUISWERK TE MAKEN!'
Daar schrok de directeur wel van. Hij wist blijkbaar niet dat Maikel al tien jaar op zijn zolderkamertje zit. Dat weten wij alleen. En dokter Neuteboom, onze huisarts.
'O,' zei hij. 'Ik wist niet dat het zó erg was.'
Mijn vader kalmeerde een beetje. Hij zag dat de directeur zich schaamde en voelde zijn boosheid langzaam verdwijnen.
'En wat gaat er nu gebeuren?' vroeg hij. 'De school heeft toch wel regels tegen pesten, neem ik aan?'
De directeur krabde op zijn hoofd en deed alsof hij diep nadacht. 'Ja, die hebben we,' zei hij. 'Maar als het pesten niet in de klas of in de kantine plaatsvindt, kunnen we die regels niet toepassen.'
De boosheid van mijn vader kwam weer opzetten. 'Wat zijn dat nou voor flutregels?' zei hij. 'Iedereen op school weet dat Maikel gepest wordt omdat hij stottert. Dan kunt u die pestkoppen toch gewoon oppakken en naar huis sturen?'

'Dat zouden we graag doen,' zei de directeur, 'als we zouden weten wie de pestkoppen zijn. Maar dat is nu net het probleem. Zolang Maikel ons niet vertelt wie het zijn, kunnen wij niemand naar huis sturen.'
'Dus het is eigenlijk zijn eigen schuld,' zei mijn vader. 'Omdat Maikel die gasten niet durft aan te geven, blijft u lekker op uw luie krent zitten.'
'Zo zou ik het niet willen zeggen,' zei de directeur, 'maar daar komt het wel op neer.'
Dat was de druppel. Toen de directeur dat had gezegd knapte er iets bij mijn vader. Hij werd zo woest dat hij uit zijn stoel schoot en om het bureau heen liep om de directeur uit het raam te gooien.
Gelukkig stond de directeur ook op en rende hij snel de andere kant op. Zo holden ze een paar rondjes om het bureau, mijn vader grommend als een leeuw, de directeur zo rood als een kreeft.
'Meneer Westbroek,' zei de directeur met een zielig stemmetje, 'als u mij iets aandoet ben ik genoodzaakt de politie te bellen.'
'Nee, hoor,' zei mijn vader, terwijl hij over het bureau klom. 'Als ik u iets aandoe, bent u genoodzaakt de ziekenwagen te bellen.'
In paniek vluchtte de directeur zijn kantoortje uit en rende door de gang. 'HELP, HELP!' gilde hij. 'ER ZIT EEN GEK ACHTER MIJ AAN! BEL DE POLITIE!'
Mijn vader stond in de deuropening en keek naar de directeur. Het was zo'n belachelijk gezicht dat hij vanzelf in de lach schoot. Hij wist best dat hij zich niet zo netjes had gedragen. Maar als je aan Maikel komt, dan kom je aan mijn vader, en dan kun je zoiets verwachten.
Toen de directeur als een gillende keukenmeid het schoolplein op rende en door een groepje leerlingen werd uitgelachen, wan-

delde mijn vader de school uit. Het gesprek had niets opgeleverd, maar hij had de directeur wel de stuipen op het lijf gejaagd. Misschien ging die daardoor toch iets aan het pesten doen.
Daarna fietste hij naar de stad en kocht twee cd's bij de Bijenkorf. Mijn vader is een gigantische muziekfreak. Hij heeft kasten vol cd's en oude lp's, maar meestal is Maikel degene die ze draait. Hij is net zo'n muziekfreak als mijn vader en luistert de hele dag muziek in zijn kamer.
Bij de HEMA kocht mijn vader een zakje pindarotsjes. Daar is Maikel ook dol op. Als je hem met een kist vol pindarotsjes naar een onbewoond eiland zou sturen, zou je nooit meer iets van hem horen.
Thuis ging mijn vader meteen naar boven en klopte zijn eigen klopje op Maikels deur. Iedereen in huis heeft zijn eigen klopje als we bij Maikel op bezoek willen. Dan weet hij precies wie er voor de deur staat en hoeft hij niets te zeggen als hij geen zin heeft. Het klopje is de eerste letter van onze voornaam, maar dan in morsetekens. Mijn vader heeft vroeger bij de marine gezeten en daar heeft hij morse geleerd. Vandaar de klopjes.
De eerste letter van mijn vader is de P van pap: een zacht klopje, twee harde klopjes en weer een zachte.
Mijn moeder heeft de M van mam, dat zijn twee harde klopjes. Mijn zus Roos heeft de R: een zacht klopje, een harde en weer een zachte. En ik heb de I van Ilse, dat is de makkelijkste: twee zachte klopjes.
Terwijl mijn vader met de cd's en de pindarotsjes stond te wachten tot Maikel de deur opendeed, stonden mijn moeder, Roos en ik onder aan de trap te gluren of het lukte.
Eigenlijk is het een stom spelletje, dat kloppen en zo. Het lijkt net alsof je bij een koning op bezoek gaat en eerst officieel toestemming moet vragen om binnen te komen. Maar we doen het

toch, omdat we zoveel van Maikel houden en we alles willen doen om hem gelukkig te maken.
Na twee keer kloppen deed Maikel de deur open en ging mijn vader het donkere paleis binnen.
'Kijk eens, jongen,' hoorden we hem zeggen, 'twee nieuwe cd's en een zakje pindarotsjes.'
Maikel pakte de cadeautjes aan en zei: 'Be-be-bedankt, p-p-pap!'

Een wens voor een wens

Toen Maikel werd geboren was er nog niets aan de hand. Dat kan ook niet, want baby's kunnen niet praten en dus ook niet stotteren. Baby's kunnen alleen eten, poepen en piesen. En de hele dag pitten, daar zijn ze ook goed in. Behalve 's nachts, als iedereen in bed ligt. Dan zijn ze klaarwakker en krijsen ze de hele buurt bij elkaar.

Ook de eerste jaren ging alles goed met Maikel. Hij was heel vrolijk en speelde elke dag met Lego en autootjes. Praten deed hij nog steeds niet. Dat vonden mijn ouders wel een beetje vreemd. Maar daar hoefden ze zich geen zorgen over te maken, volgens dokter Neuteboom. Het komt wel vaker voor dat kinderen laat beginnen met praten. 'Dan sparen ze hun woorden op voor later,' zei de dokter er nog bij. Het was grappig bedoeld, maar mijn ouders konden er niet om lachen. Ze hadden zich zo verheugd op Maikels eerste woordjes, dan is het niet leuk als je alleen maar *wa wa*, *boe boe*, en *mi mi* te horen krijgt.

Toch bleef Maikel een supervrolijk kind. Hij speelde rustig door en begon precies op tijd met lopen, daar waren mijn ouders heel blij mee. Vooral als hij met zijn hoofd ergens tegenaan botste en gewoon bleef lachen. Veel kinderen beginnen dan te janken en moeten met honderd zoentjes en een lolly worden getroost.

Maar Maikel niet. Die lachte altijd, of hij nou keihard tegen een deur knalde of met zijn autootjes speelde.
Pas toen hij vier was en voor het eerst naar school moest ging het mis. Roos (die toen twee was) en ik (één) hebben er weinig van gemerkt, maar later hoorden we van mijn ouders dat het een ramp was. Op school moet je namelijk praten en dat kon Maikel niet. Als de juf hem iets vroeg, bleef het stil. Het enige wat Maikel kon zeggen was *wa wa*, *boe boe* en *mi mi*. Daar heb je niet veel aan als iemand je een vraag stelt.
Vanaf dat moment is het pesten begonnen. Eerst in de klas, omdat hij met een rooie kop voor zich uit zat te staren. Daarna op het schoolplein en overal waar hij kinderen uit zijn groep tegenkwam. Zelfs zijn eigen juf deed eraan mee. 'Maikel is een beetje raar,' zei ze als hij weer geen antwoord op een vraag had gegeven. 'Over een tijdje gaat hij naar een rare school voor rare kinderen.'
Dat laatste weet niemand, behalve ik. Omdat Maikel en ik heel goed met elkaar kunnen opschieten, vertelt hij mij al zijn geheimen. Toen hij op een dag dat verhaal van die juf had verteld, werd ik zo boos dat ik meteen naar beneden wilde rennen om het aan mijn vader te vertellen. Maar Maikel greep mijn arm vast en zei: 'Nnniet d-d-doen!'
Ik was negen, denk ik, en Maikel twaalf. We zaten op dezelfde school en die gestoorde juf liep daar nog steeds rond.
'Waarom niet?' vroeg ik.
We gingen weer zitten. Maikel keek naar de grond. 'O-o-omdat het p-p-pesten dan nnnog vvveel e-e-erger w-w-wordt.'
Ik zag aan zijn ogen dat hij bang was. Hij was al een paar keer in elkaar gemept door een stelletje pestkoppen en hij wilde niet dat het nog een keer gebeurde. Ergens snapte ik het best. Maikel is een heel gevoelige jongen, al heeft hij nooit een traan gelaten

als hij weer met een blauw oog of een bloedneus thuiskwam. Maar ik was wel zijn zusje en ik was laaiend. Als het moest kon ik zo met een stel meiden uit mijn klas een paar bakstenen door de ramen van die etters gooien. Ik wist precies wie het waren, dus dat was geen probleem. Maar als Maikel daarna weer een pak slaag zou krijgen, was het misschien niet zo'n goed idee.
Ik pakte zijn handen vast. Maikel keek mij aan en glimlachte een beetje.
'Oké,' zei ik. 'Als jij niet wilt dat ik het aan papa vertel, dan zal ik het niet doen.'
Maikel knikte. Ik dacht razendsnel na. Ik had zijn wens vervuld, nu was hij aan de beurt om mijn wens te vervullen. Zo werkt het met wensen.
'Maar dan wil ik wel dat je weer naar stottertherapie gaat,' zei ik.
Hup, daar verdween de glimlach. Je kunt met Maikel overal over praten, behalve over stottertherapie. Dan wordt hij boos en kun je beter vertrekken. 'E-é-écht nnniet!' zei hij.
Al sinds zijn vijfde gaat Maikel naar stottertherapie. In groep twee was hij opeens begonnen met praten. Mijn ouders konden wel dansen van plezier. Maar die pret was snel voorbij toen ze hoorden dat hij heel erg stotterde. Om hem te helpen hebben ze hem toen naar stottertherapie gebracht. Daar moest hij allerlei ontspanningsoefeningen doen en maffe geluidjes maken. Hij moest ook opnieuw leren ademhalen. Daar snapte ik dus niets van. Hoe kun je nou opnieuw leren ademhalen? Dat kan toch maar op één manier? Maar zo makkelijk is het niet, volgens Esther van Pol, Maikels stottertherapeute. Je kunt met je buik ademhalen en met je borst. Mensen die stotteren ademen vaak met hun borst, en dat is verkeerd. Zo zat het ook met Maikel, vandaar dat hij moest leren om met zijn buik adem te halen. Ik

kreeg het al benauwd als ik eraan dacht. Maikel ook, want na twee lessen kapte hij ermee. Hij vond het stom, zei hij. Later is hij toch weer naar Esther toe gegaan, omdat hij die stomme ademhalingslessen minder erg vond dan het stotteren.
Op de dag dat hij mij het verhaal over die juf vertelde, was hij er zes keer geweest, zes keer in zes jaar. Daar heb je natuurlijk niks aan. Als je ergens aan begint moet je het ook afmaken, vind ik. Daarom zei ik dat hij er weer heen moest, anders zou ik zijn geheim aan onze ouders vertellen.
'Echt wel!' zei ik.
Met een ruk trok Maikel zijn handen uit mijn handen en ging onder in de kleerkast zitten, met de deur dicht. Dat doet hij altijd als hij kwaad is of zijn zin niet krijgt. Maar dat trucje werkt niet bij mij. Mijn ouders trappen er altijd in, maar ik niet. Bij mij werkt geen enkel trucje meer. Ik ben net zo koppig als Maikel, en als ik iets wil dan gebeurt het ook.
Ik liep naar de kast en klopte op de deur. 'Dag, Maikel!' riep ik. 'Ik ga naar beneden! Ik denk dat papa graag wil weten wat die juffrouw heeft gezegd!'
In de kast hoorde ik Maikel mopperen.
'Tenzij je weer naar stottertherapie gaat,' zei ik, 'dan blijft het geheimpje tussen ons tweeën.'
Weer hoorde ik hem mopperen, ik moest mijn lachen inhouden. Na een paar tellen piepte de deur open. Daar zat Maikel, met zijn knieën opgetrokken en zijn hoofd tussen de pijpen van zijn spijkerbroeken.
'Hebben we een deal?' vroeg ik. 'Ik laat jouw wens in vervulling gaan en jij vervult mijn wens.'
'Mmmaar...' sputterde hij.
'Je vindt die lessen stom,' zei ik.
'E-e-en...'

'Je vindt Esther van Pol ook stom.'
Daar heeft Maikel dus écht een hekel aan: als je hem niet uit laat praten en zelf de zinnen voor hem afmaakt.
Ik pakte zijn handen weer vast en trok hem naar mij toe. 'Luister,' zei ik, 'ik vind Esther en die lessen ook stom. Maar wat ik het stomst vind, is dat mijn broer de rest van zijn leven in dit stomme kamertje moet zitten!'
We keken elkaar recht in de ogen. Ik voelde dat Maikel zijn handen terug wilde trekken, maar ik hield ze stevig vast.
Maikel zuchtte. Hij gaf het op. Ik zag het aan zijn gezicht en voelde het aan zijn handen. 'O-o-oké,' zei hij. 'Vvvijf le-le-lessen.'
'Twintig,' zei ik.
'T-t-tien.'
'Achttien.'
'Twwwaalf.'
'Zestien.'
Maikel zuchtte nog een keer. Ik liet zijn handen los en zag een gluiperige grijns op zijn gezicht verschijnen.
'Vij-vij...'
'Vijftien lessen,' zei ik, en stak mijn rechterhand naar voren.
Hij legde zijn hand in de mijne en we schudden ze twee keer op en neer. Toen trok ik hem uit de kast en omhelsden we elkaar.
'Vvvuile t-t-trut!' zei hij.
'A-a-aansteller!' zei ik.

Donderdag wonderdag

Het is krokusvakantie. Normaal gaan we altijd naar een huisjespark in België, met een tropisch zwembad, een tennishal en een zooi restaurants waar je je de hele dag te pletter kunt eten. Maar dat kan dit jaar niet, omdat mijn vader moet werken. Hij is architect en ontwerpt huizen, scholen en andere gebouwen. Ons huis heeft hij ook ontworpen. Het is een grote witte doos met een klein doosje erbovenop. Dat kleine doosje is Maikels zolderkamer. Aan de buitenkant is het een lelijk huis, maar vanbinnen valt het wel mee. De woonkamer en de keuken zijn supergroot, en op de eerste verdieping zijn zes grote kamers. Eentje voor mijn ouders, eentje voor Roos en eentje voor mij. De vierde kamer is mijn moeders werkkamer. Daar vertaalt ze boeken van het Engels naar het Nederlands. De vijfde kamer is mijn vaders ontwerpkamer, en in de zesde kamer liggen onze koffers, lege dozen en andere rommel.

Eerlijk gezegd vind ik het niet zo erg dat we niet naar het huisjespark zijn gegaan. Ik kan niet zwemmen, en tennissen en minigolfen vind ik niks aan. Dan kun je beter thuisblijven en lekker je eigen dingen doen, zoals naar de bioscoop gaan en Boogie spelen op de nieuwe Wii met Simone. Simone is mijn beste vriendin. Eigenlijk is ze mijn enige vriendin. Op school heb ik

wel meer vriendinnen, maar na school ga ik alleen met Simone om.
In de krokusvakantie zijn Simone en ik elke dag samen geweest. Eerst heb ik vier dagen bij haar gelogeerd en nu logeert ze bij mij. Dat doen we in het weekend ook vaak. Alleen in de vakanties zijn we niet bij elkaar. Mijn ouders willen meestal ergens heen, en omdat ik nog maar twaalf ben moet ik mee. Simone blijft altijd thuis. Ze woont bij haar moeder en die heeft te weinig geld om op vakantie te gaan. We hebben al duizend keer gezegd dat ze best met ons mee kan. Maar dat heeft ze nog nooit gedaan. Simone is zo vaak bij ons dat iedereen haar als het derde zusje beschouwt. Toch wil ze niet mee op vakantie. Dat vindt ze net iets te ver gaan, denk ik. Daarom ben ik zo blij dat mijn vader moet werken. Niet voor hem, want hij werkt al hard zat, maar wel voor mij en Simone. Nu hoef ik tenminste niet te zwemmen en kunnen Simone en ik elke dag leuke dingen doen.
'Wie wil er nog een tosti?' vraag ik.
'Ik wel,' brabbelt Roos. Ze heeft net het laatste stuk van haar derde tosti in haar mond gestopt. Roos is een gigantische vreetzak. Die kan echt eten tot ze flauwvalt. Ze is wel wat steviger dan wij. Maar gezien de grote berg eten die ze elke dag naar binnen stouwt, valt het nog mee.
'Wil jij er ook nog eentje?' vraag ik aan Simone.
Ze zitten met z'n drieën aan de keukentafel: mijn moeder, Simone en Roos. Ik sta met een witte kookschort om bij de tostimachine en wacht op de volgende bestelling.
'Kan ik ook een halve krijgen?' vraagt Simone.
'Nee,' zeg ik ongeduldig, 'een halve past er niet in.'
'Doe dan maar een hele,' zegt mijn moeder. 'Dan eet ik die andere helft wel op.'
Simone glundert. Ze is niet zo'n grote eter, al kan ze wel een

extra laagje vet gebruiken. Wat dat betreft zijn we net tweelingzussen, allebei zo mager als een lat.
Na een paar minuten zijn de tosti's klaar en beginnen we te eten. Het is weer een gekraak van jewelste. Vier mensen die op verse tosti's kauwen, dat klinkt ongeveer net zo hard als een vrachtwagen die over een grindpad raast.
Toch, boven het gekraak uit, hoor ik opeens een ander geluid. Het is een geluid dat ik nog nooit heb gehoord en dat mijn nieuwsgierigheid wekt.
'Hé, stop eens met eten!' zeg ik tegen de anderen.
We zijn allemaal stil en iedereen kijkt naar mij.
'Wat is er?' vraagt Roos. 'Waarom moeten we stoppen met eten?'
'Hoor je dat dan niet?' zeg ik, en wijs met mijn tosti naar boven.
'Ik hoor alleen muziek uit Maikels kamer,' zegt mijn moeder. 'Wat is daar voor bijzonders aan?'
'Jemig!' zeg ik geïrriteerd. 'Zijn jullie doof of zo?'
Met z'n vieren luisteren we naar de muziek. Het duurt even, maar dan krijgen de anderen ook door dat er iets niet klopt. Het is inderdaad Maikels muziek die we horen, maar het klinkt anders dan normaal. Het lijkt net of er iemand meezingt. Je kunt het moeilijk horen, want de stem is bijna dezelfde als die in het liedje. Toch zingt er iemand mee, en dat kan er maar één zijn.
'Krijg nou wat!' zegt mijn moeder, die haar iPhone uit haar broekzak pakt en het geluid opneemt. Ze staat voorzichtig op en loopt naar de trap. Wij schuifelen stilletjes achter haar aan. Bij de trap blijven we staan en kijken met open mond naar boven. Maikel zingt nog steeds door. Hoewel hij twee verdiepingen boven ons zit, kunnen we goed horen welk liedje hij zingt: 'Always on my mind' van Elvis Presley. Het lievelingsliedje van mijn vader.

‘Hoe kan dat nou?’ zegt Roos. ‘Die kluns kan niet eens normaal praten.’
‘Het zal wel een filmpje van YouTube zijn,’ antwoordt mijn moeder. Ze wil haar iPhone al uitzetten, maar ik duw haar arm weer omhoog.
Een paar tellen kijken we elkaar aan. Ik zie dat ze me niet gelooft, net als Roos en Simone. Maar ik weet het zeker: dit is Maikel!

Gluren bij de buren

‘Wedden dat hij het is?’ fluister ik.
Iedereen grinnikt. Ze denken zeker dat ik gek ben geworden.
‘Goed, ik zet een tientje in,’ zegt Roos.
‘Een tientje waarop?’ vraag ik.
‘Dat hij het niet is natuurlijk,’ zegt ze. ‘Wat dacht jij dan?’
Mijn moeder fronst haar wenkbrauwen. Van haar mogen we niet wedden in huis, zelfs niet om een koekje.
‘Ik heb geen geld bij me,’ fluistert Simone.
‘Des te beter,’ zegt mijn moeder, ‘want wedden doen we hier niet!’
Roos en ik kijken haar teleurgesteld aan.
‘Please, mam!’ smeekt Roos. ‘Het is maar een tientje!’
‘Geen denken aan,’ zegt mijn moeder. ‘En praat niet zo minachtend over een tientje. Voor een hoop mensen in deze wereld is een tientje veel geld.’
‘Laten we dan om paaseitjes wedden,’ zegt Simone. ‘Zijn paaseitjes wel goed, mevrouw Westbroek?’
‘Ja, mam!’ zeg ik. ‘Paaseitjes zijn toch niet erg?’
Mijn moeder zucht. Tegen Roos en mij durft ze wel streng te zijn, maar nu Simone het vraagt weet ze het niet meer. Ze kijkt nog een keer naar boven. Het liedje is afgelopen en begint opnieuw.

'Vooruit dan maar,' zegt ze. 'Maar geen woord hierover tegen je vader, anders krijgen we heibel in de tent.'
'Te gek, mam!' zegt Roos. 'Ik zet tien eitjes in dat hij het niet is.'
'Eigenlijk mag ik niet gokken van mijn geloof,' zegt Simone, 'maar ik zet toch vijf eitjes in.'
We kijken naar mijn moeder, die nog steeds met haar iPhone in de lucht staat. 'Moet ik ook meewedden?' vraagt ze.
'Waarom niet?' zegt Roos. 'Het zijn maar eitjes.'
Mijn moeder denkt even na en zegt: 'Oké. Als Maikel het niet is, krijgen Roos en Simone dertig eitjes en maakt Ilse de keuken schoon. Maar als hij het wel is, krijgt Ilse de eitjes en maken jullie het hele huis schoon.'
'Ja, hallo!' moppert Roos. 'Waar slaat dat nou weer op?'
'Je weet het toch zo zeker?' zegt mijn moeder.
'Dat wéét ik ook!' zegt Roos. 'Ik weet het heel zeker!'
'Wat is dan het probleem?'
Omdat de tijd begint te dringen zet ik ook tien paaseitjes in. Dan pak ik het mobieltje van Roos uit haar sweater en sprint naar de tuindeur.
'Wat ga je doen?' vraagt mijn moeder ongerust.
Simone rent achter mij aan. Roos blijft staan. Ze weet dat ik heel zuinig zal zijn op haar mobieltje, anders trekt ze mijn kop eraf.
'Kijken!' roep ik. 'En een filmpje maken, als bewijs!'
'Hoe dan?' zegt ze. 'Je kunt toch niet vliegen?'
Ik schuif de glazen tuindeur open en kijk nog een keer achterom. 'Nee,' zeg ik, 'maar wel op de ladder klimmen.'
Simone en ik rennen de tuin in. Naast de schuur ligt een houten ladder in het gras. We pakken hem op en sjouwen hem naar de zijkant van het huis, de kant waar het raam van Maikels kamer zit.

Voorzichtig zetten we de ladder tegen de muur, zodat Maikel niets hoort.
'Hij staat bijna rechtop,' zegt Simone. 'Is dat niet gevaarlijk?'
'Niet als jij hem goed vasthoudt,' zeg ik. 'Zo van onderen, weet je wel.'
Ik doe het voor en Simone knikt.
'Goed,' zegt ze. 'Heb je het mobieltje al op de camerastand gezet? Dan hoef je dat straks niet te doen als je op de ladder staat.'
Simone is een beetje een schijterd, maar ze heeft wel gelijk.
Snel pak ik het mobieltje uit mijn zak en zet de camera aan. Dan begin ik de ladder op te klimmen. Hij wiebelt behoorlijk. Halverwege kijk ik omlaag en zie dat Simone de ladder met twee handen vasthoudt.
'Gaat-ie goed?' roept ze.
'Ja ja!' zeg ik. 'En schreeuw niet zo, straks hoort hij je nog!'
Simone steekt haar duim op en ik klim weer verder. Eerst langs het raam van de rommelkamer en dan langzaam naar het raam van Maikel.
Plotseling begint de telefoon te jengelen. Ik schrik me rot en neem op.
'Roos?' vraagt een zware jongensstem.
'Nee, Ilse,' zeg ik. 'Roos is weg. Bel over een uur maar terug.'
De jongen bromt 'oké' en ik verbreek de verbinding.
'Wie was dat?' vraagt Simone.
Het mobieltje springt vanzelf weer op de camera. Ik kijk naar beneden en gebaar naar Simone dat ze haar klep moet houden. Daarna klim ik door. Nog vier treden en ik kan eindelijk zien of Maikel echt zingt.
Omdat de ladder steeds erger begint te wiebelen, stop ik even om te wachten tot hij weer stilstaat. Ondertussen kijk ik over mijn schouder naar de villa van meneer en mevrouw Visser.

'Waar wacht je op?' vraagt Simone. 'Ben je duizelig?'
De ladder staat bijna stil. Ik zou zo verder kunnen klimmen, maar ik blijf staan en kijk door een klein raampje op de eerste verdieping. Het is het raam van de badkamer. De badkamer is stokoud, net als de villa. Maar dat is niet waar ik naar kijk. Ik kijk naar meneer Visser, die op de wc zit. Hij heeft geen kleren aan en leest de krant.
Waarom moet ik dit zien? vraag ik mezelf af. Waarom moet ik naar de blubberbillen van meneer Visser kijken? Van dat soort beelden krijg ik altijd enge dromen. Vorig jaar zag ik per ongeluk mijn oma onder de douche. Ze logeerde een paar dagen bij ons, omdat ze ver weg woont. Ik wilde alleen mijn tandenborstel en tandpasta pakken. Maar mijn oma was vergeten het douchegordijn dicht te doen, dus zag ik haar staan, in haar blootje. Daar heb ik een week van gedroomd, van de gigantische blubberbillen van mijn oma. En nu sta ik wéér naar een paar blubberbillen te kijken!
Dan wordt alles nog veel erger: meneer Visser ziet mij staan. Hij schrikt en begint woest met zijn armen te zwaaien dat ik weg moet gaan.
Met een rooie kop draai ik mij om. Ik klim snel verder en steek mijn hoofd net boven de vensterbank van Maikels raam uit. Op een kussentje voor zijn stereo-installatie zit Maikel. Hij heeft zijn ogen gesloten en hij zingt, precies zoals ik het mij had voorgesteld. Ik kan wel juichen van geluk.
Terwijl de ladder weer begint te wiebelen, druk ik het mobieltje tegen het raam en maak een filmpje. Maikel heeft niets in de gaten. Hij blijft gewoon doorzingen en ik film nog een stukje.
Na een minuut stop ik ermee en kijk naar beneden. Dat had ik beter niet kunnen doen, want op dat moment komt de ladder los van de muur.

'SIMONE!' roep ik nog. 'HOU DIE TRAP VAST!'
Maar het is al te laat. Voor ik het weet kiept de ladder achterover en val ik over de coniferenhaag met een harde plons in het zwembad van meneer en mevrouw Visser.

Een wesp met een wandelstok

'Ben je helemaal gek geworden?' zegt mijn moeder.
We zitten weer aan de keukentafel. Ik heb snel gedoucht en mijn natte kleren zitten in de wasmachine. Voor mij staat een glas dampende thee. Ik moet weer een beetje warm worden na mijn duik in het ijskoude zwembad.
Iedereen is geschrokken van het ongeluk. Mijn moeder nog het meest. En als mijn moeder ergens van schrikt, wordt ze altijd boos. 'Voor hetzelfde geld was je verzopen!' raast ze door. 'Jij met je geweldige zwemkwaliteiten! Wordt het niet eens tijd dat je je diploma haalt? Er zijn kinderen van vijf die al een zwemdiploma hebben!'
'Ik weet het, mam,' zeg ik. 'Maar ik ben niet verzopen en...'
Ik stop met praten omdat Roos haar föhn heeft aangezet. Ze begint haar mobieltje droog te blazen. De föhn staat op stand drie en maakt een hoop kabaal.
'HALLO!' roept mijn moeder. 'KUN JE DAT EVEN ERGENS ANDERS DOEN?'
Roos zet de föhn uit en kijkt mijn moeder aan. 'Waar dan?'
'Ga maar naar de woonkamer,' antwoordt mijn moeder.
'Nee, niet in de woonkamer,' zeg ik. 'Dan kan ze het filmpje eraf halen en heeft ze de weddenschap gewonnen.'

'Als het er nog op staat,' zegt Simone, die er een beetje sip bij zit.
'Ik zal het wel op het aanrecht doen,' zegt Roos. 'Op stand één.'
Mijn moeder legt een hand op mijn voorhoofd, alsof ik koorts heb. 'Drink je thee maar op,' zegt ze. 'Als hij koud is heb je er niets meer aan.' Ze ziet er nog steeds boos uit. Boos op mij, boos op Roos en boos op zichzelf. Ze had mij nooit op die ladder moeten laten klimmen. Maar dat heeft ze wel gedaan, en nu zitten we allemaal met de gebakken peren.
Ik neem een slokje thee. Hij is zo heet dat ik bijna mijn tong verbrand.
'Laten we het maar niet aan papa vertellen,' zeg ik tegen mijn moeder.
Ze heeft ook een glas thee in haar handen en kijkt stug voor zich uit. 'Dat lijkt me heel verstandig,' zegt ze. 'Ik heb net mijn excuus aangeboden aan mevrouw Visser, en ze heeft beloofd er niet met papa over te praten.'
Even zeggen we niets meer. Ik luister naar het gezoem van de föhn en denk aan Maikel. Sinds mijn val in het zwembad hebben we niets meer van hem gehoord. Ik denk dat hij de plons heeft gehoord en zo is geschrokken dat hij meteen is gestopt met zingen. Hij zal ook wel boos zijn omdat ik hem vanaf de ladder heb gezien. Dat zit me nog het meeste dwars. Die smak in het koude water kan me niks schelen, maar dat ik Maikel stiekem heb begluurd en gefilmd wél. Daardoor heb ik mijn vriendschap met hem op het spel gezet. En dat allemaal voor een stom filmpje. Kan het nog dommer? Op school heb ik net de hoogste score gehaald voor de Cito-toets, en thuis ben ik soms de grootste sufkop ter wereld.
Roos stopt met föhnen en zet de telefoon aan. Mijn moeder, Simone en ik kijken gespannen toe. Ik weet dat mijn moeder

en Simone hopen dat hij het nog doet. Ergens hoop ik het ook, maar als hij kapot is vind ik het ook best. Ik hoef die rottige paaseitjes al niet meer. Ik wil het weer goedmaken met Maikel, dat is het enige waar ik aan kan denken.
Het schermpje van de telefoon licht op en we horen een melodietje. Nu het filmpje nog en ik kan mezelf te barsten vreten aan een berg paaseitjes.
Als Roos haar pincode heeft ingetoetst komt ze bij ons aan tafel zitten. Ze drukt op een paar knopjes en het filmpje floept tevoorschijn. Eerst kijkt ze er zelf naar. Aan haar boze blik zie ik dat het filmpje is gelukt en dat ze haar weddenschap heeft verloren. Dan schuift ze de telefoon naar mij toe en kijk ik er met mijn moeder en Simone naar. Het filmpje is haarscherp. We zien Maikel op het kussen zitten en zingen. Daarna begint het beeld te schudden en zien we alleen lucht en de plons in het zwembad.
'Zet maar uit,' zegt mijn moeder. 'Ik heb genoeg gezien.'
Met trillende vingers zet ik de camera uit en schuif het mobieltje terug naar Roos. Ik ben er nerveus van geworden. Het is net alsof ik het allemaal opnieuw heb beleefd. Alleen voelde het nu echter en besef ik ineens wat er had kunnen gebeuren als ik naast het zwembad was gevallen.
Ik buig mijn hoofd voorover en voel de tranen in mijn ogen branden. 'Het spijt me, mam,' zeg ik zachtjes. 'Het is allemaal mijn schuld.'
'Dat is het ook!' reageert ze kribbig. 'Maar ík ben verantwoordelijk, dus is het eigenlijk míjn schuld!'
'En de mijne,' zegt Simone. 'Als ik die ladder gewoon had vastgehouden was er niets gebeurd. Maar er zoemde een wesp om mijn hoofd die ik weg wilde slaan. Daarom liet ik de ladder los en is Ilse in het water gevallen.'

'Er zijn geen wespen in februari,' zegt Roos.
'Dan zal het wel een bij zijn geweest,' zegt Simone. 'Of een oude wesp.'
Net als Roos weer wat wil zeggen, begint haar mobieltje te jengelen. Ze pakt hem van tafel en neemt op: 'Met slagerij Van Puffelen.'
We proberen alle drie te lachen, maar het lukt nog niet zo goed.
'O, ben jij het,' zegt Roos. 'Wat moet je?'
Het is de jongen met de zware stem. Hij zou over een uur terugbellen, en dat is ongeveer nu. Er bellen wel vaker jongens voor Roos. Dat komt omdat ze er ouder uitziet dan dertien en nogal rond is van boven. Daar komen de jongens massaal op af. Sommige jongens dan, jongens met wie je beter geen verkering kunt hebben.
'Nee, ik heb geen zin!' bromt Roos. 'En morgen ook niet en overmorgen ook niet!' Ze luistert nog even naar de jongen en zet dan haar mobieltje uit. 'Een bij dus,' zegt ze tegen Simone, 'of een oude wesp. Een wesp met een wandelstok. Daarom heb je mijn zusje in het zwembad laten mieteren.'
Nu lachen we wel. Ook Roos. Soms kan ze zo bot en grappig zijn, dat je je niet meer kunt inhouden.
Als we klaar zijn met lachen zeg ik: 'Kunnen we nu even afrekenen? Van Simone krijg ik vijf paaseitjes, van Roos tien en van mama dertig.'
Simone graait in haar tas en legt vijf paaseitjes op tafel.
'Dank je wel,' zeg ik. 'En waar zijn jouw eitjes, Roos?'
Ze zucht en pakt met tegenzin drie warme eitjes uit haar broekzak. 'Meer heb ik niet,' zegt ze. 'De rest krijg je morgen, als ik m'n zakgeld heb gehad.'
We kijken naar mijn moeder. Normaal krijgen we pas op zater-

dag ons zakgeld. Maar soms maakt ze een uitzondering als we iets nodig hebben.
'En mijn beloning dan?' vraagt ze. 'Ik heb ook ingezet, weet je nog?'
'Ja, dat weten we nog!' zeggen Roos en Simone in koor.
Mijn moeder grijnst. Ze zegt dat Roos morgen haar zakgeld krijgt, als ze straks het huis schoonmaakt. Ze belooft het en we schieten weer in de lach.
'Zo zo,' horen we opeens, 'wat een vrolijke boel hier.'
In de deuropening staat mijn vader. Zijn haar staat recht omhoog van het fietsen en hij ziet er moe uit.
Dan maak ik de grootste blunder uit mijn leven. Nog honderd keer groter dan die van daarnet. 'O, pap!' roep ik. 'Er is een wonder gebeurd! Maikel heeft gezongen! Hij leek wel een soort engel, maar dan nóg mooier!'
Mijn vader zet zijn tas op de grond en komt bij ons aan tafel zitten.
Ik heb intussen de iPhone van mijn moeder gepakt en speel de opname van Maikel af. Ik luister er trots naar, tot ik het gezicht van mijn vader zie veranderen. In plaats van een glimlach verschijnt er een woeste blik, en dan weet ik dat ik iets superdoms heb gedaan.
Halverwege de opname grijpt hij de iPhone uit mijn hand en zet hem uit. 'Luister goed!' zegt hij. 'Jullie mogen veel doen in dit gekkenhuis, behalve twee dingen: spotten met Maikel en spotten met Elvis! Is dat duidelijk?'
Als beteuterde kleutertjes zitten we voor ons uit te staren. Zelfs Roos en mijn moeder durven niets te zeggen. Dat we het zwaar hebben verknald is wel duidelijk. We weten dondersgoed dat we die opname van Maikel nooit hadden moeten maken, en al helemáál niet met een liedje van Elvis.

'NOU, HOOR IK NOG WAT?' buldert mijn vader.
Van schrik gaan we rechtop zitten en antwoorden na elkaar:
'Ja, meneer Westbroek!' 'Ja, pap!' 'Ja, Bart!' 'Ja, pap!'

Gloeiende oortjes

Om halfdrie in de nacht word ik wakker. Ik weet niet waarvan. Ik hoor geen geluid en er brandt nergens licht. Toch weet ik dat ik niet voor niets wakker ben geworden.
Op het logeerbed bij het raam ligt Simone te slapen. Ze heeft het dekbed helemaal over zich heen getrokken. Ik kan nog net een blond haarsprietje zien, en twee voeten aan de onderkant. Haar beer is op de grond gevallen. Simone slaapt nog met een beer. Ik heb er ook eentje, maar die ligt in drie stukken op de kleerkast.
Zo stil mogelijk stap ik uit bed. Ik kijk naar de deur en zie dat er een vaag streepje licht onderdoor schijnt. Daardoor ben ik dus wakker geworden: er loopt iemand door ons huis. Als het maar geen inbreker is, want er staan dure spullen in mijn vaders werkkamer.
Langzaam loop ik naar de deur en doe hem open. Het licht komt van beneden. Het beweegt niet, dus het is geen zaklamp van een inbreker. De tv is het ook niet, want die flikkert altijd. Om te kunnen zien wat het wél is, moet ik op mijn buik gaan liggen en mijn hoofd onder de onderste balk van het traphek door steken. Vroeger keek zo wel eens tv, toen ik nog klein was en om zeven uur naar bed moest. In die tijd kon mijn hoofd makkelijk

onder de balk door. Nu is het zo groot geworden dat het maar net past.
Ik zie mijn vader onder een schemerlampje in de woonkamer zitten. Hij heeft een gestreepte pyjamabroek en een wit T-shirt aan. In zijn hand ligt de iPhone van mijn moeder. Uit de iPhone klinkt het liedje van Maikel, opnieuw en opnieuw en opnieuw. Ik zie mijn vaders lippen bewegen, maar ik hoor niet wat hij zegt.
Als hij voor de zesde keer het liedje afspeelt, besluit ik naar beneden te gaan. Met veel moeite trek ik mijn hoofd onder de balk vandaan. Dat gaat een stuk moeilijker dan daarnet. Mijn oren schuren langs de harde vloer en de balk. Als ik eindelijk vrij ben voel ik ze gloeien.
Ik loop stilletjes de trap af en blijf voor de drempel van de woonkamer staan. Ik wil mijn vader niet aan het schrikken maken. Hij zit nog altijd met de iPhone in zijn hand naar Maikels liedje te luisteren. Pas nu zie ik dat zijn lippen het liedje meezingen, heel zachtjes, alsof niemand hem mag horen.
Na lang aarzelen stap ik de kamer binnen. Mijn vader kijkt op en laat de iPhone gewoon doorspelen. Aan zijn ogen zie ik dat hij niet meer boos is. Hij kijkt zelfs een beetje verdrietig. Dat is misschien nog wel erger. Met een boze vader kan ik best omgaan. Maar wat moet je met een verdrietige vader? Kun je die ook troosten met een knuffel en een zoen? Of kunnen vaders niet getroost worden, omdat ze altijd stoer moeten blijven?
Ik ga naast hem op de bank zitten. We zeggen niets en luisteren samen naar het liedje. Ik zie dat zijn ogen glinsteren. De tranen rollen nog net niet over zijn wangen, maar dat kan niet lang meer duren. Uit het zakje van mijn nachthemd pak ik een verfrommeld zakdoekje en leg het op zijn schoot.
Mijn vader laat het liedje uitspelen. Dan zet hij de iPhone uit en

legt hem op de salontafel. We kijken elkaar aan. Ik weet niet wat ik moet zeggen. Het liefst zou ik bij hem op schoot kruipen. Maar dat kan niet meer. Ik ben twaalf, en als je twaalf bent kruip je niet meer bij je vader op schoot.
'Dit klopt niet,' zegt hij.
Gelukkig, denk ik, hij is begonnen met praten.
'Wat klopt niet?' vraag ik.
Hij wijst naar het mobieltje. 'Dat liedje. Dat kan Maikel niet zijn.'
Ik wacht even en zeg dan: 'Jawel, pap. Het is wél Maikel. We hebben het allemaal gehoord.'
Met mijn zakdoekje veegt hij de tranen uit zijn ogen. Het lijkt erop dat hij niet gaat huilen, al ziet hij er nog steeds verdrietig uit.
'Nee, dit is Elvis,' zegt hij. 'Er is niemand in de wereld die zo kan zingen. En Maikel al helemaal niet.'
Ik pers mijn lippen op elkaar en denk erover om het filmpje te pakken dat ik op de ladder heb gemaakt. Dan zou hij zelf kunnen zien dat het waar is. Maar dat kan ook verkeerd aflopen. Als hij hoort dat we ook een filmpje van Maikel hebben gemaakt, zou hij weer boos kunnen worden.
'En je tranen dan?' vraag ik. 'Als het Maikel niet is, waarom zitten er dan tranen in je ogen?'
Het wordt weer stil. Mijn vader kijkt naar de grond. Aan de rimpels tussen zijn woelige wenkbrauwen zie ik dat hij twijfelt. 'Die tranen komen door het liedje,' zegt hij, 'nergens anders van.'
'O ja?' zeg ik. 'Weet je dat zeker?'
We kijken elkaar weer aan. Nu wordt het écht link.
'Ja, dat weet ik zeker, Ilse.'
Zijn ogen staan fel. Ik merk dat hij op het punt staat om boos te worden. Maar ik moet doorgaan. Er is geen weg meer terug.

'Toch is het Maikel, pap,' zeg ik. 'Zal ik het bewijzen?'
'Nee, je hoeft niets te bewijzen,' zegt hij. 'Dit is Elvis, niet Maikel!'
Om een einde te maken aan het gekibbel sta ik op en loop de kamer uit. 'Wacht maar even,' roep ik op de gang, 'ik ben zo terug!'
Ik vlieg de trap op en ga de kamer van Roos binnen. Ze snurkt als een os, zoals gewoonlijk. Het mobieltje ligt op haar bureau. Snel pak ik het eraf en sluip op mijn tenen de kamer uit.
Beneden plof ik weer naast mijn vader op de bank. Het mobieltje staat al aan. Ik zet het op camera, start het filmpje en stop het in zijn hand. 'Hier!' zeg ik. 'Als je me niet wilt geloven, dan moet het maar op deze manier!'
Terwijl mijn vader naar het filmpje kijkt, pak ik de iPhone en zet het liedje weer aan.
Gespannen kijk ik naar zijn norse blik, die langzaam begint te ontdooien. Zijn bruine ogen glinsteren. De tranen, rollen over zijn wangen.
'Mijn hemel,' stamelt hij als hij het mobieltje op de bank heeft gelegd en de druppels van zijn wangen veegt. 'Het is waar. Het is toch Maikel.'

VOOR IEDEREEN!

De volgende morgen staat er een witte envelop tegen het zoutpotje op de keukentafel. Ik zie hem meteen als Simone en ik beneden komen.
'Wat is dat?' vraag ik aan mijn moeder.
Ze zit aan tafel en heeft het ontbijt klaargemaakt. Alles is gelukt, behalve de geroosterde boterhammen. Die zijn zo zwart als roet.
'Een atoombom,' zegt Roos, die voor het aanrecht staat en met een mes de zwarte kruimels van een boterham schraapt.
Simone en ik gaan ook aan tafel zitten. Simone pakt de theekan van het theelichtje, ik pak de envelop.
'Afblijven!' commandeert mijn moeder.
'Hoezo, afblijven?' zeg ik. 'Waarom mag ik hem niet openmaken?'
Roos komt bij ons zitten en smeert een lading jam op haar boterham.
'Omdat je eerst moet lezen wat erop staat,' zegt mijn moeder.
Simone en ik kijken naar de envelop. Voor de tweede keer, want toen we de keuken binnen kwamen hadden we hem ook al gezien.
'Voor iedereen!' zeg ik.

'En wat betekent dat, voor iedereen?' vraagt mijn moeder.
'Dat de brief voor iedereen is, natuurlijk!'
'Goed zo, Ilse,' brabbelt Roos met volle mond. 'Ons zusje kan niet alleen lezen, ze kan het ook nog begrijpen.'
Simone ziet dat ik pissig begin te worden. Daarom geeft ze mij zachtjes een schop onder de tafel.
'Dat weet ik nog zo net niet,' zegt mijn moeder. 'Want wat betekent dat woordje "iedereen" precies?'
Simone geeft me nog een schop en ik zeg: 'Iedereen betekent iedereen: mijn vader, mijn moeder, mijn lollige zus Roos, Maikel en ik.'
Mijn moeder neemt een slokje thee. 'Klopt als een bus,' zegt ze. 'Maar je vader is boven, dus we kunnen hem nog niet openmaken.'
'En het handschrift is van Maikel,' zegt Roos, 'dus die telt niet mee.'
Terwijl ik een bolletje uit de broodmand pak, komt mijn vader de keuken binnen. Hij heeft zich geschoren en ruikt naar een ontplofte parfumwinkel. 'Goeiemorgen allemaal!' jubelt hij opgewekt.
Hij gaat naast mij zitten en schenkt een kopje koffie in. Daarna gooit hij er drie suikerklontjes in en begint rustig te roeren.
Na een paar minuten stopt hij ermee en zegt: 'Hé, een envelop. Wat zou daarin zitten?'
'Ja, wat zou daar nou in zitten?' snauwt mijn moeder.
'Een atoombom,' zegt Roos.
'Je verlanglijstje voor Sinterklaas,' zeg ik.
Verbaasd kijkt mijn vader de tafel rond. 'Nou moe,' zegt hij. 'Kan dat niet wat vriendelijker?'
'Maak dat ding nou maar open, grapjas!' zegt mijn moeder.
Met een zucht pakt mijn vader de envelop. Hij snijdt hem voor-

zichtig met zijn mes open, pakt de brief eruit en schraapt zijn keel. Nog één keer kijkt hij de tafel rond, dan begint hij de brief voor te lezen.

Beste iedereen,

Bedankt dat jullie mij gisteren voor schut hebben gezet. Al elf jaar word ik op school gepest, en nu is mijn familie ook begonnen. De laatste mensen in de wereld die ik nog kon vertrouwen.

Daarom heb ik het volgende te zeggen:
1. *Laat me op mijn zolderkamer zitten zo lang en zo vaak als ik wil.*
2. *Kom niet meer op bezoek en zet mijn eten voortaan op een dienblad voor de deur (kloppen hoeft niet, ik ben niet doof).*
3. *Praat niet meer tegen me, ik geef toch geen antwoord.*
4. *Laat me zingen zonder opnames of filmpjes te maken (over drie dagen begin ik weer, want nu ben ik nog boos).*

Als jullie dit niet doen, ga ik weg en kom ik nooit meer terug.

De groeten,
Maikel

Mijn vader blijft opvallend kalm en stopt de brief terug in de envelop. Als de envelop weer tegen het zoutpotje staat zegt hij: 'Gefeliciteerd! Dat hebben jullie weer lekker geregeld met z'n allen!'
Als vier zuurpruimen kijken we elkaar aan. We kunnen wel door de grond zakken van schaamte. Maar we zakken niet door de grond, omdat ons huis van beton is en we ons boven de grond ook fantastisch kunnen schamen.

Duizend stemmen

De krokusvakantie is omgevlogen en iedereen doet weer zijn eigen ding. Roos zit in de brugklas en haalt de ene onvoldoende na de andere. Simone en ik vragen ons af wat we na de Cito-toets nog op de basisschool moeten doen. En Maikel gaat naar het lyceum en stottert en wordt gepest en zit op zijn zolderkamer en zingt en zingt en zingt.

Daar was hij na drie dagen weer mee begonnen, precies zoals hij in zijn brief had aangekondigd. Toen ik maandagmiddag uit school kwam hoorde ik hem meteen. Mijn moeder zat op een tuinstoel in de gang te luisteren. Zonder iets te zeggen ging ik naast haar op de vloer zitten. Later kwamen Roos en mijn vader er ook bij. Zo zaten we daar, als toeschouwers bij een gratis concert. En zo zitten we er nog steeds: elke dag als we thuiskomen, elke avond na het eten, en elk weekend als we niets te doen hebben.

De meeste liedjes die Maikel zingt zijn heel oud. Sommige wel vijftig of zestig jaar. Ze komen uit de gigantische platencollectie van mijn vader. Die heeft kasten vol oude lp's en cd's van artiesten die allang dood zijn of als gerimpelde appeltjes in een bejaardenhuis zitten: Nat King Cole, Bobby Vinton, Neil Sedaka, Gene Pitney, Roy Orbison. Zangers waar ik nog nooit van had gehoord, tot Maikel hun liedjes begon te zingen.

In het begin vond ik ze een beetje vreemd klinken. Heel anders dan de muziek die ik op mijn iPod heb. Maar nu vind ik ze te gek. Niet omdat Maikel ze toevallig zingt, maar omdat het prachtige liedjes zijn. Liedjes die vroeger net zo populair waren als de liedjes van nu, en die na een tijdje in een soort vergeetput zijn gevallen. Daar snap ik dus echt niets van. Waarom gebeurt dat alleen met popliedjes? We gaan wel naar een museum om schilderijen van vierhonderd jaar oud te bekijken, en klassieke muziek wordt ook nog steeds gespeeld. Maar als een liedje niet meer in de top 40 staat, hoor je er niets meer van. Daarom ben ik zo blij dat er nog mensen bestaan als mijn vader, die al die liedjes uit de vergeetput vissen, omdat ze veel te mooi zijn om weg te gooien. En omdat Maikel ze dan kan zingen, speciaal voor ons.
'Toch begrijp ik iets niet,' zegt mijn vader.
Het is zondagavond, acht uur. Hij heeft *Studio Sport* gekeken en komt weer bij ons in de gang zitten. Onze hele tuinset staat er inmiddels. We luisteren zo vaak naar Maikel dat we er maar een kleine camping van hebben gemaakt.
'Wat begrijp je niet?' vraag ik.
'Hoe Maikel al die verschillende stemmen nadoet,' zegt hij, 'daar begrijp ik geen snars van.'
Terwijl ik op mijn hoofd krab, denk ik na over zijn vraag. Het is inderdaad raar dat Maikel alle stemmen precies nadoet. In talentenshows zingen mensen wel eens een liedje dat bijna net zo klinkt als de echte artiest. Maar helemáál hetzelfde is het nooit. Je kunt altijd horen dat het een ander is, al klinkt het nog zo mooi. Bij Maikel heb je dat niet. Of hij nou een cd'tje draait of zelf zingt, je hoort totaal geen verschil.
'Ik denk dat het concentratie is,' zeg ik.
'Hoezo, concentratie?' vraagt mijn vader.

'Gewoon concentratie,' zeg ik. 'Dat zag je toch in het filmpje? Tijdens het zingen zat Maikel op een kussentje en had hij zijn ogen dicht. Dat betekent dat hij zich aan het concentreren is.'
'Of aan het mediteren,' zegt Roos. 'Mensen die mediteren zitten ook met hun ogen dicht op een kussentje,'
'Net als een monnik,' zegt mijn vader. 'Zo'n Tibetaanse monnik in een oranje jurk, weet je wel.'
'Nee, niet als een Tibetaanse monnik,' zeg ik. 'Maikel is geen monnik, en hij is ook niet aan het mediteren. Hij is zich gewoon aan het cóncentreren, zodat hij die mannenstemmen beter kan nadoen.'
'En die vrouwenstemmen?' vraagt Roos. 'Waar haalt hij die vandaan?'
'Ja,' zegt mijn vader. 'Dat Maikel die mannenstemmen nadoet, dat snap ik nog wel. Maar hoe zit het met die vrouwenstemmen?'
Dat is waar, een man kan niet zomaar een vrouwenstem nadoen. Wel voor de lol of zo, maar dan hoor je meteen dat het nep is. Toch doet Maikel net zo makkelijk zangeressen na. Er moet dus wel iets speciaals met hem aan de hand zijn.
'Nou, komt er nog wat van?' zegt Roos. 'Jij weet toch altijd alles?'
Ik pieker me suf. Ondertussen zingt Maikel 'All alone am I' van Brenda Lee, en kijken de anderen mij aan alsof ik de Tovernaar van Oz ben.
'Ja, euh,' zeg ik uiteindelijk, 'misschien zitten al die stemmen wel in zijn hoofd.'
Roos grinnikt en klapt de rugleuning van haar tuinstoel nog wat verder naar achteren. 'Als een soort iPod,' zegt ze.
'Of een jukebox,' zegt mijn moeder.
'Wat is een djoekboks?' vraagt Roos.
'Hetzelfde als een iPod,' antwoordt mijn moeder, 'maar dan groter.'

‘En hoevéél stemmen zitten er in zijn hoofd?’ vraagt mijn vader. ‘Vijftig? Honderd? Tweehonderd?’
‘Weet ik veel,’ reageer ik kribbig. ‘Misschien wel vijfhonderd, of duizend.’
Roos grinnikt weer. Ze vindt het altijd leuk als ik iets niet weet, omdat zij dan minder dom lijkt. ‘Laten we het op duizend houden,’ zegt ze. ‘Duizend is een mooi getal.’
‘Goed idee,’ zegt mijn vader. ‘Vanaf nu heeft Maikel duizend stemmen in zijn hoofd.’
‘Fijn,’ zeg ik. ‘Maar hij kan er maar één tegelijk nadoen. Dus als iedereen nu z’n klep wil houden, dan kunnen we weer verder luisteren.’

Echte lieverds

Op 18 maart is Simones moeder jarig. Dat is op een dinsdag, maar ze viert het op zaterdag. Bij ons thuis. Als iemand van ons jarig is komen Simone en haar moeder altijd bij ons, en als een van hen jarig is komen ze ook bij ons. Dat doen ze al jaren. Niet omdat ze geen geld voor een feest hebben, maar omdat we het gewend zijn. Onze moeders zijn elkaars beste vriendinnen en zien elkaar bijna net zo vaak als Simone en ik. Na de plotselinge dood van Simones vader, vijf jaar geleden, zagen ze elkaar zelfs elke dag. Dat was een treurige tijd voor ons allemaal. Simones vader was echt een toffe vent. Hij zag eruit als een verwarde professor en werkte als clown en goochelaar op feestjes en verjaardagen. Simone en ik waren nog klein en vonden het geweldig wat hij allemaal deed.
Soms vroeg Simone: 'Waarom is jouw vader niet zoals mijn vader?'
Dan wist ik nooit wat ik moest zeggen. Pas later, toen haar vader er niet meer was, dacht ik: omdat mijn vader anders is, en anders is ook goed.
Toen Simones vader nog leefde, vierden we hun verjaardagen ook al bij ons. Hun huis is nogal rommelig en klein, en mijn vader houdt er niet van om op visite te gaan. Niet eens naar zijn

eigen moeder, die helemaal alleen in een verzorgingshuis zit. Zoals gewoonlijk beginnen we de verjaardag met kibbelen over het eten. Onze moeders willen pizza, mijn vader wil bami, Simone en ik willen patat en Roos vindt alles lekker. Wat Maikel wil doet er niet toe. Hij blijft toch in zijn kamer zitten en eet wat er voor zijn deur wordt gezet.

Na een kwartier kwekken zijn we eruit: de jarige mag kiezen. Dat hadden we vooraf ook kunnen bedenken, want zo gaat het altijd.

'Dat worden dan zes pizza's,' zegt mijn vader, 'en een appel voor mij.'

Mijn moeder gooit een propje papier tegen zijn hoofd en kijkt hem kwaad aan. 'Doe niet zo flauw, Bart! Pizza eten is gezellig!'

'Ja, heel gezellig,' zegt hij met een stroef lachje. 'Zo'n opgewarmde krant met baggervette zweetkaas, tomatensnot en verse konijnenkeutels erop. Ik kan niet wachten.'

Als de pizza's zijn bezorgd en we als uitgehongerde wolven de ene punt na de andere naar binnen werken, luisteren we naar Maikel. Er staat ook een pizza voor zijn deur, maar hij heeft blijkbaar geen trek.

'Wat is dat voor liedje?' vraag Simones moeder. 'Het klinkt heel bekend, maar ik heb geen idee wie het zingt.'

Mijn vader knabbelt dromerig aan een pizzakorstje en zegt: 'Het nummer heet "The end of the World" van Skeeter Davis. In 1963 haalde ze er de tweede plaats mee in de *Top 100*. Later is het nummer door andere artiesten gecoverd, zoals Nancy Sinatra, Bobby Vinton, Twiggy en Agnetha van ABBA. Het nummer zit ook in de film *Girl Interrupted* met Wynona Ryder en Angelina Jolie. En in 2009 zong Susan Boyle het op haar debuutalbum *I dreamed a Dream*.'

Iedereen is er stil van. Maikel heeft duizend stemmen in zijn hoofd, maar mijn vader is een levende muziekbieb.
Na het eten is er ijs en krijgt Simones moeder haar cadeautje. Het is een envelop. Elk cadeautje dat Simone en haar moeder van ons krijgen zit in een envelop. Dat betekent niet dat het een klein cadeautje is. Vorig jaar kreeg ze bijvoorbeeld een fiets. Die past natuurlijk niet in een envelop. Maar een foto van de fiets wel, dus zat er eigenlijk een fiets in de envelop.
Deze keer zit er een reis in.
'Nee toch!' zegt Simones moeder als ze vol verbazing naar de tickets kijkt. 'Dit is écht te gek!'
Simone kijkt ook naar de tickets. 'Wauw hé!' roept ze dolblij. 'Een week naar Parijs!'
'En kaartjes voor Eurodisney!' zegt mijn moeder.
Ik kijk naar mijn vader en zie hem glunderen. Op visite wil hij nooit, maar cadeautjes geven doet hij wel graag. Daar wordt hij zelf ook een beetje blij van, denk ik.
'Wanneer is het?' vraag ik.
Simone kijkt nog een keer op de tickets en zegt: 'Acht juli.'
'Dat is de eerste dag van de zomervakantie,' zegt Roos.
Simones moeder legt de tickets op tafel. Ik zie dat ze het cadeau veel te duur vindt, maar ze zegt niets. Dat heeft ze inmiddels wel geleerd.
'Voor hoeveel personen is het eigenlijk?' vraagt Simone.
'Twee,' antwoordt mijn moeder.
'Dus Ilse kan niet mee?'
'Ilse kan wel mee als jullie dat graag willen,' zegt mijn vader. 'Maar het is misschien beter als jullie met z'n tweeën gaan.'
Simone en ik kijken elkaar aan. We weten precies wat hij bedoelt. Sinds de dood van haar vader doen Simone en haar moeder niets meer samen. En dat is niet goed. Ze moeten ook af en

toe samen iets doen. Ze hebben alleen elkaar nog maar, en daar moet je van genieten zolang het nog kan.
'Goed,' zegt Simone, 'dan gaan we lekker met z'n tweetjes.'
Haar moeder krijgt er waterige ogen van. 'Bedankt,' zegt ze met een dun stemmetje. 'Jullie zijn echte lieverds!'

's Avonds kijken we een film op tv. De hele tafel staat vol met bakken chips, pinda's, M&M's, borrelnootjes en drie soorten dipsausjes.
De film op tv is een thriller. Ik weet niet hoe hij heet, maar hij gaat over een vrouw die steeds dreigbrieven krijgt. Ze probeert uit te vissen wie de brieven stuurt, maar dat is nogal ingewikkeld. We zitten er helemaal in en tijdens de reclamepauzes bespreken we wie de dader kan zijn.
Als de vierde reclamepauze begint weten we het nog steeds niet. Omdat er niemand naar de wc hoeft, blijven we zitten en kijken we naar een paar reclamefilmpjes. Het eerste gaat over bier, het tweede over tampons en het derde over chips. Daarna begint er een flitsend filmpje over een nieuw tv-programma. Een bekende presentator komt in beeld en zegt:
'Ben jij die talentenshows ook zo zat? Die shows waar iedereen dezelfde liedjes zingt en niemand zichzelf is? Dan is *Superster* jóúw programma. In *Superster* mogen de kandidaten namelijk zélf bepalen wat ze zingen. Geen liedjes die iedereen kent en al duizend keer heeft gehoord, maar liedjes die over jóú gaan. Liedjes die vertellen wie jíj bent. Liedjes die je met hart en ziel kunt zingen, omdat het jóúw liedjes zijn. Dat is wat we zoeken voor ons nieuwe programma *Superster*: échte supersterren. Dus aarzel niet en geef jezelf op. Doe het snel, want over een week sluit de inschrijving en gaan de audities van start. De audities voor de superhit van het jaar: *Superster*!'

Terwijl de presentator verdwijnt, verschijnen onder in beeld de website van de show en de laatste inschrijvingsdag.
Heel even blijft het stil. Dan zet mijn vader met de afstandsbediening het geluid van de tv uit en kijkt achterom. 'Denken jullie wat ik denk?' zegt hij.
We knikken en merken niet eens dat de film weer is begonnen.
'Maar hoe krijgen we Maikel ooit zo gek dat hij mee wil doen?' zegt mijn moeder.
Roos pakt een handvol chips, dipt ze in de roze dipsaus en propt ze in haar mond. 'Ja,' brabbelt ze, 'en wie gaat het hem vragen?'

De KVO

Wat het antwoord op mijn moeders vraag is, weet ik nog niet. Maar op de vraag van Roos is maar één antwoord mogelijk: Ilse! Zij zal het wel weer oplossen. Zo gaat het altijd hier. Als iemand een probleem heeft, hoor je gelijk: 'ILSE!' en hup, daar sta ik al, klaar om de boel op te lossen. Er is een boek van Roald Dahl dat heet *De GVR* (De Grote Vriendelijke Reus). Zo heet ik ook, maar dan anders. Als je mij nodig hebt, vraag je gewoon naar de KVO (De Kleine Vriendelijke Oplosser) en ik kom meteen in actie.
Op dinsdagavond moet het gebeuren. Mijn ouders zijn met Roos naar een ouderavond, en daarna hebben ze een gesprek met de directeur over de slechte cijfers van Roos.
Op de keukentafel staat een schaaltje pindarotsjes. Die heeft mijn vader speciaal gekocht, als hulpmiddel om Maikel over te halen. Van de zenuwen heb ik er al twee opgegeten. Als Maikel nog lang in zijn kamer blijft zitten is het schaaltje leeg.
Om acht uur gaat zijn kamerdeur eindelijk open en sloft hij op zijn sokken de trappen af. Ik haal diep adem en stop nog een pindarotsje in mijn mond. Er liggen er nog vijf op het schaaltje, die mag Maikel allemaal opvreten als hij meedoet aan *Superster*.
In de gang gaat hij voor de spiegel staan. Dat doet hij altijd om

te zien of zijn haar goed zit. Als er één sprietje omhoog staat, smeert hij er een klodder gel door of zet hij een duf petje op. Deze keer staan er blijkbaar geen sprietjes omhoog, want ik hoor niets. Hij blijft nog even voor de spiegel staan en komt dan de keuken binnen.
Ik zie dat hij schrikt. Dat onze ouders en Roos naar haar school zijn wist hij al, maar dat ik thuis ben had hij niet verwacht. Normaal ga ik op dinsdag altijd bij Simone eten en tv-kijken, behalve vandaag dus.
'O,' zeg ik, alsof ik ook van hem schrik, 'ben jij het.'
Maikel zegt niets en loopt naar de koelkast. Hij heeft allang door dat ik niet zomaar aan de keukentafel zit. En de pindarotsjes heeft hij ook gezien. Nu weet hij helemáál zeker dat er iets aan de hand is.
De deur van de koelkast gaat open en Maikel buigt voorover om erin te kijken. Hij heeft een oude versleten spijkerbroek aan. Net onder zijn kont zit een scheur, waardoor ik de rand van zijn zwarte onderbroek kan zien.
'Co-co-colaatje?' vraagt hij zonder om te kijken.
Zijn vraag verbaast me. Sinds zijn boze brief heeft hij geen woord meer tegen mij gezegd, en nu doet hij ineens weer normaal. Misschien is hij toch nieuwsgierig naar wat ik van plan ben.
'Ja, doe maar,' zeg ik.
Hij pakt twee blikjes cola uit de koelkast, laat de deur dichtvallen en gaat tegenover mij aan tafel zitten. Hij schuift een van de blikjes naar mij toe, de pindarotsjes laat hij nog even met rust.
Precies tegelijk trekken we onze blikjes open en glimlachen naar elkaar. Een goed begin, denk ik. Nog twee glimlachjes en de buit is binnen.

'Nnnee!' zegt Maikel, en neemt een slokje cola.
Ik neem ook een slokje en zeg: 'Wat, nee?'
'Wwwat je wwwilt vvvragen,' zegt hij. 'Het a-a-antwoord is nnnee.'
Om mijn onzekere blik te verbergen neem ik nog een slokje cola. Daarna zeg ik: 'Hoe kun je nou néé zeggen? Je weet niet eens wat ik wil vragen.'
Maikel glimlacht weer. Hij heeft mij in de val laten lopen. Toen hij zei dat het antwoord op mijn vraag nee is, heb ik per ongeluk gezegd dat ik hem inderdaad iets wil vragen. Lekker handig, Ilse.
Hij neemt weer een slokje en zet zijn blikje neer. 'Mmmaar gggoed,' zegt hij, terwijl hij een pindarotsje pakt, 'wwwat wwwilde je vvvragen?'
We kijken elkaar aan. Ik probeer te zien wat hij denkt, maar ik zie niets. Alleen een koele Maikel die een pindarotsje in zijn mond stopt.
'Oké, slimmerik,' zeg ik. 'Het gaat over een tv-programma dat we laatst hebben gezien...'
'Nnnee!' zegt Maikel weer.
'Wat nou, nee?' zeg ik pissig. 'Waarom laat je me niet uitspreken? Ik laat jou toch ook altijd uitspreken?'
Ik merk dat ik een rooie kop krijg, van schaamte en van boosheid.
'*Su-Su-Superster*,' is alles wat Maikel zegt. Eén woordje maar, meer heeft hij niet nodig om mijn plannetje te ontmaskeren. Ik kan mezelf wel voor m'n kop slaan. Hoe kon ik zo dom zijn om te denken dat hij van niets weet? Maikel zit elke dag in zijn kamertje, maar hij heeft wel tv en internet. Daarom wist hij natuurlijk dat ik hem ging vragen of hij aan *Superster* wil meedoen.

We nemen allebei een pindarotsje en eten het zwijgend op. Er liggen er nog twee. Ik denk erover om ze snel in mijn mond te proppen en hem uit te lachen. Maar dat slaat nergens op. Alles wat ik tot nu toe heb gedaan slaat nergens op.
Toch zet ik door. Zolang Maikel nog aan tafel zit heb ik de kans om met hem te praten. En die kans móét ik pakken, voor het te laat is. 'Je hebt een waanzinnig talent, Maikel. Daar moet je iets...'
'Nnnee!' zegt hij voor de derde keer. 'Ik hhheb gggeen ta-ta-talent.'
Hij wil nog een pindarotsje pakken, maar ik trek het schaaltje onder zijn hand vandaan. 'Wel waar!' reageer ik fel. 'Je weet best dat je geweldig kunt zingen! Wou je dat soms ontkennen?'
Langzaam trekt Maikel zijn hand terug. Hij vouwt zijn armen over elkaar. Ik kijk hem aan en vraag me af waarom hij niet naar zijn kamer gaat. Hij wil toch niet meedoen aan *Superster*. Waarom zou hij dan nog blijven zitten?
Het blijft een tijdje stil. Ik krijg het gevoel dat we aan een schaakwedstrijd bezig zijn en lang moeten nadenken over de volgende zet. Dat ik er niet zo best voor sta is wel duidelijk. Maar ik geef de moed niet op en probeer het nog een keer: 'Doe het dan voor papa! Sinds jij zingt is hij een ander mens geworden! Hij is bijna nooit meer somber en hij zit elke avond bij ons in de gang om naar je te luisteren! Vind je dat niet fijn om te horen?'
Die vraag was een beetje gemeen. Maikel wil heel graag dat zijn vader niet meer somber is. Daar heeft hij zich altijd schuldig om gevoeld. Volgens hem komt het omdat hij stottert en gepest wordt op school. Andersom is het net zo trouwens. Mijn vader denkt dat Maikel is gaan stotteren omdat hij zo vaak somber is. Wat dat betreft lijken ze als twee druppels water op elkaar, ze voelen zich allebei schuldig over de ellende van de ander.

Helaas lijken ze ook nog in iets anders op elkaar: ze kunnen zo koppig zijn als een ezel. En die koppigheid komt direct tevoorschijn. Zonder iets te zeggen staat Maikel op en loopt naar de gang. Op hetzelfde moment sta ik ook op, ren hem voorbij en ga in de deuropening staan.

'Rrrot op, I-I-Ilse!' zegt hij met trillende stem.

'Nee, ik rot niet op!' zeg ik. 'Ik blijf lekker staan!'

Maikel zucht. Hij is veel groter dan ik, maar hij weet dat hij er nooit langs komt. 'D-d-doe nnniet zo lu-lu-lullig,' zeurt hij.

Ik zeg niets meer. Ik kijk hem alleen maar aan, als een tijger die naar zijn prooi kijkt. Zo staan we daar, minutenlang: Maikel met zijn handen in zijn zij, ik met mijn handen op de deurposten.

Dan hoor ik plotseling het geluid van de voordeur. Geschrokken kijk ik over mijn schouder, maar ik zie niemand. De gang is leeg en de voordeur is dicht. Er ligt alleen een pakje reclamefolders op de mat.

Als ik mijn gezicht weer naar voren draai, duikt Maikel razendsnel onder mijn linkerarm door en rent de trap op. Boven aan de tweede trap glijdt hij uit en stoot zijn knie. Ik hoor hem vloeken, zonder te stotteren. Even later strompelt hij naar zijn kamer en knalt de deur achter zich dicht.

Ik geef een harde schop tegen een tuinstoel. 'GA MAAR GAUW NAAR JE KAMERTJE, LAFAARD!' schreeuw ik naar boven. 'EN BLIJF DAAR MAAR LEKKER ZITTEN, NET ZOLANG TOT ROOS EN IK OP ONSZELF WONEN EN PAP EN MAM DOOD ZIJN! DAN KUNNEN ZE JE NAAR EEN GEKKENHUIS BRENGEN, WANT DAAR HOOR JE THUIS, ZIELIG MANNETJE!'

Witheet van woede loop ik de keuken binnen en ga met gebalde vuisten voor het raam staan. De grote teen van mijn rechtervoet doet zeer, ik begin hoofdpijn te krijgen en druk mijn neus tegen het koude glas.

De KVO is verslagen. Vanaf nu zal ik door het leven moeten als de KRK, de Kleine Razende Kluns, het domme zusje van de GKF, de Grote Koppige Flapdrol.

Een piepklein zaadje

'Hoe gib heb?' fluistert Simone.

We zitten naast elkaar in de klas. Simone is wat later gekomen omdat ze naar de tandarts moest voor een vulling. Er zit een prop watten achter haar rechterwang, vandaar dat ze een beetje moeilijk praat.

'Wat?' zeg ik.

Simone slaat een schriftje open en schrijft met een viltstift: HOE GING HET MET MAIKEL?

Ik lees het en kijk weer voor me uit. Juffrouw Biemans heeft een Engelse zin op het bord geschreven en vraagt aan ons wat de zin betekent. Er gaat geen vinger de lucht in. Ik zit echt met een stelletje slaapmutsen in de klas. Gelukkig hoeven we op woensdag maar een halve dag naar school, zodat ze thuis verder kunnen pitten.

Simone stoot mij aan.

'Wat nou?' fluister ik nijdig.

Ze schuift het schriftje onder mijn neus, alsof ik het nog niet had gelezen. Met tegenzin pak ik ook een viltstift en schrijf onder haar vraag: SLECHT! EN HOU OP MET ZWAMMEN. IK HEB GEEN ZIN VANDAAG.

Juffrouw Biemans wijst Hadassa aan en vraagt haar wat de Engelse zin betekent.

'Iets met bloemen,' zegt ze.
'Heel goed,' zegt juffrouw Biemans. 'Het gaat inderdaad over bloemen. Maar dat is niet alles. Er staat nog meer, Hadassa.'
'Dat zal best, juf,' zegt Hadassa. Ze zit onderuitgezakt op haar stoel en bekijkt haar paarse glitternagels. 'Maar ik weet niet wat.'
'Geeft niets,' zegt juffrouw Biemans. 'Misschien weet Lindsey het wel.'
Ook Lindsey zit languit op haar stoel. Ze zet haar zonnebril op het puntje van haar neus en kijkt naar de zin op het bord. 'Geen idee,' zegt ze.
Ik krijg weer een stoot van Simone. Ze heeft een nieuw bericht in haar schriftje geschreven: DOE NIET ZO ROTTIG. IK BEN GEWOON BENIEUWD.
We kijken elkaar kort aan. Ik weet dat ik niet zo vrolijk ben, maar dat mag ik niet op mijn beste vriendin botvieren.
SORRY! schrijf ik. IK ZAL HET STRAKS VERTELLEN. OKÉ?
Simone leest het en knikt naar me. Daarna vouwt ze het schriftje dicht en stopt het samen met de viltstift in haar rugzak. Ik druk de dop op mijn stift en zet hem rechtop op tafel.
'Ilse dan,' zegt juffrouw Biemans. 'Die weet vast wel wat het betekent.'
'Wat? Wat, juf?' reageer ik verward.
Juffrouw Biemans kijkt mij strak aan en wijst naar het bord. 'Die zin!' zegt ze geïrriteerd. 'Die zin op het bord!'
Ik ga rechtop zitten en lees de zin hardop voor:

MY HUSBAND NEVER BUYS ME FLOWERS

'Hartelijk dank,' zegt juffrouw Biemans, die haar geduld begint te verliezen. 'En wat betekent dat in het Né-dér-lánds?'

‘Heel simpel,’ antwoord ik rustig, terwijl ik de viltstift pak en in mijn rugzak stop. ‘Dat u met de verkeerde man bent getrouwd.’

Na school fietsen Simone en ik naar huis. De wind waait door onze haren. We hebben nog niets tegen elkaar gezegd. Ik heb geen zin en Simone zit nog met de watten in haar mond.
Bij het parkje leggen we onze fietsen in het gras en gaan op een bankje zitten. Ons vaste stekje op woensdagmiddag.
‘Wiw je wu veggen hoe heb gib?’ vraagt Simone.
Ik doe mijn ogen dicht en laat de zon heerlijk op mijn gezicht stralen. ‘Als jij die belachelijke watjes uitspuugt,’ zeg ik.
‘Owé,’ brabbelt Simone, die de prop watten uit haar mond trekt en op het fietspad gooit.
Omdat het zo’n vies geluid maakt open ik mijn ogen en kijk naar de prop, die er nat en rood uitziet.
‘Waarom gooi je dat ding nou op het fietspad?’ vraag ik. ‘Straks rijdt er iemand overheen en glijdt hij uit.’
Simone voelt met haar tong aan de gevulde kies. ‘Dat is waar,’ zegt ze. ‘Ik zal hem zo in een prullenbak gooien. Of zal ik hem terugstoppen in m’n mond? Hij is nu nog warm.’
Ik draai mijn gezicht naar haar toe en moet lachen. Simone maakt niet zo vaak grapjes, maar als ze er eentje maakt is het meestal raak.
We grinniken nog wat na en kijken naar voren. Onze ogen vallen vanzelf dicht door de felle zon.
‘Het was een ramp,’ zeg ik. ‘Een verschrikkelijke ramp.’
‘O ja?’ zegt Simone. ‘Wilde Maikel niet meedoen?’
Ik vertel haar wat er is gebeurd, van de pindarotsjes tot mijn woeste scheldpartij. Ik baal nog steeds dat ik het heb verknald, en voor die scheldpartij schaam ik me rot.
‘Nou ja,’ zegt Simone. Ze heeft haar hand op mijn hand gelegd

en knijpt er zachtjes in. ‘Je hebt alles gedaan wat je kon. Nu hoef je alleen nog maar te geloven, dan komt het vanzelf goed.’
Ik open mijn ogen en kijk haar aan. ‘Hoezo geloven?’
‘Gewoon,’ zegt ze. ‘Als jij gelooft dat Maikel mee zal doen met *Superster*, dan gaat dat ook gebeuren.’
‘En als ik geen geloof heb? Wat dan?’
‘Je hebt wel geloof. Het moet alleen nog een stukje groeien. Toen mijn vader mij voor het eerst vertelde dat God bestaat, geloofde ik het ook niet. Maar later wel, toen het geloof in mij ging groeien.’
Ik kijk weer voor me uit en sluit mijn ogen. Simone is mijn beste vriendin, maar soms is ze een beetje apart, vooral als het over haar geloof gaat.
‘Dus het is eigenlijk een soort zaadje,’ zeg ik.
Simone grinnikt en laat mijn hand los. ‘Zoiets ja,’ zegt ze. ‘Een piepklein zaadje, maar dan in je binnenste.’

Vier (bijna) stille dagen

Vier dagen blijft het stil in huis. Sinds onze ruzie zit Maikel in zijn kamer en zingt hij niet meer. We horen ook geen muziek meer. Alleen af en toe wat voetstappen, en een deur die open- en dichtgaat als hij naar de wc moet of zijn dienblad met eten pakt. Mijn ouders, Roos en ik zijn ook stil. Een beetje dan, want je kunt niet de hele dag je klep houden, zeker niet bij ons thuis. We praten wel wat zachter dan normaal. Behalve gisteren, toen we het tijdens het avondeten over de ouderavond van Roos hadden. Misschien was het beter geweest om dat onderwerp nog even te laten liggen. Maar daar ben ik niet zo goed in. Als ik iets wil weten, kan ik niet wachten tot een ander erover begint.
'Hé, Roos,' vroeg ik. 'Hoe was je ouderavond eigenlijk?'
Mijn ouders legden hun bestek neer en draaiden hun ogen naar boven. Vanaf dat moment wist ik dat het mis zou gaan. Roos had nog geen woord gezegd, maar de spanning was zó groot dat ik er misselijk van werd.
'Of wil je er niet over praten?' zei ik nog om de boel te redden. 'Dan laten we het gewoon zitten. Ik hoef het niet zo nodig te weten. En het gaat mij ook niets aan. Het was jóúw ouderavond, niet de mijne.'
Maar het was al te laat. Al had ik nog uren gekwetterd, het maakte

niets meer uit. Ik was er zelf over begonnen, dus moest ik de gevolgen ook maar dragen.
'O, gezellig,' mompelde Roos, die dromerig met een lepel door haar bord andijvie zat te roeren.
Mijn vader pakte zijn bestek weer op en begon zijn zwarte gehaktbal in tweeën te zagen.
'Nee, het was niet gezellig,' zei mijn moeder. 'Als Ilse je iets vraagt, moet je wel eerlijk antwoord geven.'
'Oké,' zei Roos, toen ze haar lepel had neergelegd. 'De ouderavond was een flop! Een verschrikking! Een nachtmerrie! Een gigantische mislukking!'
'Doe niet zo cynisch, Roos,' zei mijn moeder. 'Je weet best dat het heel slecht gaat en dat er bijna alleen maar onvoldoendes op je rapport staan.'
'Ik weet het, mam,' zei Roos. 'Ik weet dat het superslecht gaat en dat er allemaal onvoldoendes op mijn rapport staan.'
'Allemáál onvoldoendes?' vroeg ik aan Roos. 'Volgens mij zei mama dat er bíjna alleen maar onvoldoendes op je rapport staan? Dat betekent dat er ook een paar voldoendes bij zitten. Toch?'
'Geen páár voldoendes!' zei Roos. 'Eén voldoende!'
'Mag het wat zachter?' bromde mijn vader.
'Waarvoor dan?' vroeg ik. 'Waarvoor heb je die ene voldoende?'
'Voor wiskunde,' zei Roos. 'Daar heb ik een negen voor.'
Ik keek naar mijn moeder. Ze knikte en zei: 'Dat is dus het gekke. Roos bakt er helemaal niets van op school, maar voor het moeilijkste vak scoort ze een negen. Dan klopt er toch iets niet?'
'O NEE?' schreeuwde Roos. 'WAT KLOPT ER DAN NIET?'
Van schrik liet mijn vader zijn mes op de grond vallen. Hij had geen zin om het op te rapen en nam een hap andijvie. Ik had al drie happen gehad, dus ik wist precies waarom hij zo'n vies gezicht trok.

'DAT JE LOOPT TE NIKSEN!' schreeuwde mijn moeder terug. 'ALS JE ZO'N HOOG CIJFER VOOR WISKUNDE HAALT, KUN JE OOK VOOR DE ANDERE VAKKEN GOEDE CIJFERS HALEN!'
'NEE, DAT KAN IK NIET!' brulde Roos door. 'DIE ANDERE VAKKEN KUNNEN ME GEEN BARST SCHELEN! ALLEEN WISKUNDE VIND IK LEUK!'
'ONZIN!' schetterde mijn moeder. 'JE MOET GEWOON BETER JE BEST DOEN EN WAT MINDER MET JONGENS SCHARRELEN!'
Dat was de druppel voor Roos. We weten allemaal dat er veel jongens achter haar aan lopen, maar dat ze er niets van moet hebben. Dan kun je haar ook niet beschuldigen, vind ik.
Met een kwaaie blik stond Roos op. Haar stoel kiepte achterover en viel met een klap op de vloer. 'DAT NEEM JE TERUG!' schreeuwde ze. 'ANDERS GA IK NU WEG EN ZIE JE ME NOOIT MEER TERUG!'
Zonder op antwoord te wachten draaide ze zich om en liep de keuken uit. Het laatste wat we die dag van haar hoorden waren haar stampende voeten op de trap en de deur van haar slaapkamer, die ze loeihard achter zich dicht knalde.

Op de avond van de vierde dag zitten we met z'n vieren in de woonkamer. Het is al laat. Mijn vader kijkt voetbal op tv. Mijn moeder, die het weer goed heeft gemaakt met Roos, leest een boek. Roos snaait de laatste bak chips leeg en sukkelt bijna in slaap. En ik luister wat liedjes op mijn iPod. Na vier (bijna) stille dagen ben ik wel toe aan een beetje muziek.
Uit verveling pak ik mijn mobieltje en denk erover om Simone een sms'je te sturen. Haar moeder is een beetje grieperig, daarom is ze thuisgebleven om voor haar te zorgen. Maar het is bijna tien uur. Misschien ligt ze allang te slapen en maakt mijn sms'je haar wakker.

Na een paar minuten besluit ik het toch te doen. We hebben elkaar al vijf uur niet gesproken, en dat is veel te lang.
Met de dopjes van de iPod in mijn oren begin ik te typen:

Hoi Siem. Slaap je al? Ik hoop dat je moeder snel weer beter is. Hier is alles rustig. Zie je morgen bij de bioscoop. Slaap ze, Ilse

Als ik het sms'je heb verstuurd, zet ik mijn mobieltje uit en zie ik een man in de deuropening staan. Eerst denk ik dat het een geest is, maar dan herken ik zijn gezicht. Het is geen geest en het is ook geen man, het is Maikel.
Mijn ouders hebben hem ook gezien. Mijn vader zet het geluid van de tv uit en ik geef Roos een tik op haar been.
Omdat wij niets zeggen begint Maikel maar te praten: 'Sssorry voor a-a-alles. En euh...' hij stopt even en haalt diep adem, 'ik d-doe wwwel mmmee met Su-Su-Superster.'
'Dan ben je mooi te laat,' zegt Roos. 'Vanmiddag liep de inschrijving af.'
Shit, denk ik. Uitgerekend nu hij mee wil doen is het te laat.
Maikel gaat naast mijn moeder op de bank zitten. 'Nnnee, hoor,' zegt hij met een grijns op zijn gezicht. 'Ik hhheb mmme al i-i-ingeschreven.'
We kijken hem allemaal stomverbaasd aan.
'Wanneer dan?' vraag ik.
Weer grijnst Maikel en hij zegt: 'Vvvorige wwweek za-za-zaterdag.'

Bejaarden en mafkezen

'We moeten een oeuvre samenstellen,' zegt mijn vader.
'Een wat?' vraagt Roos.
'Een oeuvre,' herhaalt mijn vader. 'Dat zijn alle nummers van een artiest of groep. Of van iemand die aan een talentenshow meedoet, zoals Maikel.'
'Of alle boeken van een schrijver,' zegt Simone. 'De broer van mijn vader is schrijver. Geen beroemde of zo, maar hij noemt al zijn boeken soms zijn oeuvre. Dat kan toch?'
Mijn vader knikt. Hij zit op zijn bureaustoel. Roos, Simone, Maikel en ik zitten op een versleten bank. Het is de eerste keer dat we met z'n allen in mijn vaders werkkamer zijn. Maikel komt er heel vaak om platen en cd's te ruilen, en Simone en ik kijken er ook wel eens rond als mijn vader niet thuis is. Of Roos er ooit is geweest, weet ik niet. Maar vandaag is ze er wel. We zijn er allemaal. Alleen mijn moeder is er niet bij. Zij heeft Simone afgelost als verpleegster voor haar zieke moeder.
Mijn vader staat op en gaat voor zijn platenkasten staan. Het zijn er acht in totaal, van onder tot boven gevuld met cd's, lp's en een rijtje boeken over popmuziek.
'Justin Timberlake, pap!' zegt Roos. 'Die moet je sowieso nemen!'
'En Duffy!' zegt Simone. 'Met die gave stem!'

'Of Robbie Williams!' roep ik enthousiast. 'Die is echt hot!'
'Nee, Rihanna!' roept Roos nog harder. 'Je moet artiesten nemen die nu hot zijn, niet vorig jaar!'
Zo tetteren we nog een poosje door. Bijna alle bekende namen vliegen door de kamer. Maikel zegt niets. Hij heeft zijn iPod gepakt en klikt door het liedjesbestand.
Dan draait mijn vader zich om. Hij zet zijn handen op zijn heupen en kijkt ons streng aan. 'Hallo, dames!' zegt hij. 'Mag ik even iets vragen?'
We zijn meteen stil. Meestal moet hij schreeuwen om ons stil te krijgen, maar nu we in zijn muziekpaleis zijn gaat het vanzelf. De seconden tikken weg. We wachten op de vraag. Ook Maikel, die zijn iPod op de bank legt. Na een minuut laat mijn vader eindelijk zijn handen zakken en zegt: 'Waar gaat dat programma *Superster* ook alweer over?'
'Over dat je je eigen liedjes moet zingen,' antwoordt Roos. 'Liedjes die bij jou passen.'
'En wie is "jou"?' vraagt mijn vader.
'Maikel,' antwoordt Simone, '"jou" is Maikel.'
'Juist,' zegt mijn vader. Hij loopt terug naar zijn stoel en gaat weer zitten. 'Nou kan het aan mij liggen, maar ik kan me niet herinneren dat Maikel ooit een liedje van die artiesten van jullie heeft gezongen. Of heb ik het mis?'
Niemand zegt iets, daarom geeft mijn vader zelf maar antwoord: 'Nee, ik heb het niet mis. Maikel zingt geen liedjes van Duffy, Justin Timberdinges en al die andere nepartiesten.'
'Het zijn geen nepartiesten!' zegt Roos. 'En het is Justin Timberláke, niet Timberdinges!'
'Maakt het wat uit?' reageert mijn vader kribbig. 'Over tien jaar weet geen mens meer wie meneer Timberdinges is, en staat er geen liedje van hem in de Top 2000.'

'Wedden van wel?' zegt Roos. 'Wedden voor twintig euro dat er over tien jaar nog liedjes van hem in de Top 2000 staan?'
'Jullie mogen toch niet wedden thuis?' zegt Simone.
Maikel pakt zijn iPod weer op. Hij drukt de witte dopjes in zijn oren en zet een muziekje aan. Hij heeft geen zin in gezeur. Ik ook niet, maar ik blijf toch zitten omdat we liedjes moeten uitkiezen voor de wedstrijd. Over zes dagen beginnen de audities en dan moet hij op z'n minst één goed liedje hebben.
'Oké!' roep ik om een einde te maken aan het gekibbel. 'Als Maikel onze liedjes niet zingt, welke liedjes zingt hij dan wél?'
Roos slaakt een diepe zucht en strekt haar lange benen. 'Ouwe liedjes,' mompelt ze. 'Liedjes voor bejaarden en mafkezen.'
'Dus ik ben een bejaarde mafkees?' zegt mijn vader.
'Ja, jij bent een bejaarde mafkees,' zegt Roos, 'maar wel een leuke!'
Mijn vader trekt zijn schouders op en zegt: 'Kunnen we het nu weer over de liedjes hebben?'
'Mij best,' zegt Roos. 'Als je maar opschiet, want ik moet in bad.'
Uit zijn bureau pakt mijn vader een paar velletjes papier en deelt ze uit. 'Ik heb vannacht een lijstje met Maikels favoriete liedjes gemaakt. Ik vind het goede liedjes, maar ik wil graag weten wat jullie ervan vinden.'
We lezen alle drie het lijstje door. Er staan veel liedjes op die ik ken, maar ook een paar waar ik nog nooit van heb gehoord.
'"Mandy" is een mooi liedje,' zegt Simone. 'Van Barry Manilow.'
'Of "Only the Lonely" van Roy Orbison,' zegt Roos. 'Dat was toch die gast met die zonnebril?'
'Wie is Cilla Black, pap?' vraag ik.
Met een rode pen zet mijn vader kruisjes voor de namen die we noemen.

Als hij tien kruisjes heeft gezet, legt hij de pen op het bureau: 'Perfect,' zegt hij. 'Nu moeten we nog een auditienummer kiezen, dan zijn we klaar.'
'Het auditienummer moet een echte knaller zijn,' zegt Simone, 'anders heeft Maikel geen schijn van kans tussen al die andere kandidaten.'
'Over Maikel gesproken,' zegt Roos. 'Wij zitten wel een zootje liedjes te bedenken, maar we weten niet eens of onze superster het ermee eens is.'
We knikken allemaal en ik trek een dopje uit Maikels oor.
'Wwwat?' reageert hij geschrokken.
'We zijn met je liedjes bezig, slaapkop!' zeg ik. 'Misschien kun je zelf ook even meedenken! Jij moet ze namelijk zingen, weet je nog?'
Maikel rukt het oordopje uit mijn hand en vist met zijn andere hand een opgevouwen briefje uit zijn broekzak. 'Hhhier!' zegt hij. 'A-a-alle llliedjes, vvvan de au-au-auditie tot de fi-fi-finale!'
Geïrriteerd pak ik het briefje aan en geef hem een mep op zijn kop. Ik wil hem ook nog zeggen dat hij een gigantische zak is, maar daarvoor is het al te laat. Net voor ik mijn mond kan opendoen, stopt Maikel het dopje terug in zijn oor en verdwijnt hij weer in zijn eigen wereldje.

De make-over

Als je op tv komt moet je er perfect uitzien. Een pukkeltje op je neus, een haartje op je kin, een vlekje op je jas, alles wordt door de camera gezien en tig keer opgeblazen. Het is alsof je onder een vergrootglas ligt, net als een mier. In het echt ziet een mier er niet eng uit, maar onder een vergrootglas lijkt het wel een monster. Zo werkt het ook met mensen die op tv komen. Daarom moeten we Maikel, die er meestal als een mislukte zwerver uitziet, een complete make-over geven, anders schrikken de kijkers zich rot.

Eerst brengen we hem naar de kapper. Dat is het moeilijkste deel, want daar heeft Maikel een pesthekel aan.

'Zo, kanjer,' zegt de kapper als Maikel met een schort om zijn nek op de stoel zit. 'Hoeveel zal ik eraf halen?'

'Nnniks,' zegt Maikel.

Mijn moeder en ik staan links en rechts naast de kapper. We kijken naar Maikel in de spiegel. De kapper heeft zijn lange haren recht naar beneden gekamd. Als zwarte dropveters hangen ze voor zijn gezicht.

'Hij moet op tv,' zegt mijn moeder, 'snoei er maar flink wat af.'

Maikel schuift het dropgordijntje open en kijkt stug voor zich uit.

'Is de Justin Bieberlook niks voor hem?' vraagt de kapper.

'NNNEE!' roept Maikel kwaad. 'GGGEEN BIE-BIE-BIEBER-LOOK!'
'De Justin Bierberlook is anders heel populair.'
'NNNEE!' roept Maikel weer. Aan zijn stem hoor ik dat het de laatste keer is. Als we nog één keer over Justin Bieber beginnen gaat hij ervandoor.
Ik leg een hand op zijn schouder en breng mijn mond bij zijn oor. 'Rustig aan, zeurkous,' fluister ik. 'De kapper en mama zijn niet goed snik. Maar er moet wel een stukje af, dat weet je best.'
Maikel zucht. 'Een ssstukje d-d-dan,' zegt hij.
Ik druk een zoen op zijn wang en ga weer rechtop staan.
'Gewoon een stukje eraf,' zeg ik tegen de kapper, 'meer niet.'
De kapper geeft me een knipoogje. 'Komt in orde,' zegt hij. 'Lezen jullie maar even een blaadje, dan maak ik er wel wat moois van.'
Na de kapper lopen we de H&M binnen om een nieuwe outfit voor Maikel te kopen. Hij wil geen nieuwe kleren, moppert hij. Hij wilde ook al niet naar de kapper, maar nieuwe kleren kopen gaat écht te ver.
'Hoe wil je dán het podium op?' vraagt mijn moeder. 'In je ouwe kloffie?'
'Jjja,' zegt Maikel. 'Ik b-b-ben wwwie ik b-b-ben.'
'Waarom ben je dan wel naar de kapper gegaan?' vraag ik. 'Als je bent wie je bent, had je dat ook niet moeten doen.'
'D-d-dat wwwas vvvoor jjjullie,' zegt hij.
'Je liegt dat je barst,' zeg ik. 'Jij wilt er ook goed uitzien, net als iedereen. Maar omdat je al tien jaar wordt gepest, denk je dat je het niet verdient.'
'O-o-oké,' zegt hij. 'Mmmaar d-d-dan wwwil ik zzze zzzelf k-k-kiezen.'
Mijn moeder en ik kijken elkaar aan. We weten dat Maikel altijd

zwarte kleren koopt. Maar als we nog even doorzeuren koopt hij helemaal niets.
'Vooruit dan maar,' zegt mijn moeder. 'Als het maar nette kleren worden, anders sta je voor schut zaterdag.'
Opgelucht pak ik Maikels hand en sleur hem mee naar de herenafdeling. Daar kiezen we samen een zwarte spijkerbroek, een zwart overhemd, een nieuwe riem met een glimmende gesp en twee paar zwarte sokken.
In een kleedhokje trekt hij de outfit aan en dan komt hij weer naar buiten. Hij lijkt wel een fotomodel, zo stoer ziet hij eruit.
'Helemaal goed,' zegt mijn moeder enthousiast. 'Nu nog een paar zwarte schoenen en we zijn klaar.'
'Nnnee!' zegt Maikel. 'Ik wwwil mmm'n gggympen a-a-aanhhhouden!'
Mijn moeder pakt zijn arm vast en zet hem voor de spiegel. 'Dan zie je er straks zo uit!' zegt ze. 'Is dat wat je wilt?'
Maikel kijkt naar de spiegel. Langzaam zien we zijn gezicht veranderen, van een boze naar een treurige blik. 'O-o-oké,' zegt hij uiteindelijk. 'D-d-doe er mmmaar zzzwarte ssschoenen b-b-bbij.'

Om kwart voor zes zijn we weer thuis. Mijn vader zit aan de keukentafel en leest de krant. Roos staat voor het fornuis pannenkoeken te bakken.
'En, wat vinden jullie ervan?' vraagt mijn moeder als we met z'n drieën in de keuken staan.
Mijn vader zet zijn leesbril af en Roos draait zich om. Ze bekijken Maikel van top tot teen, alsof hij een zeldzame diersoort is.
'Fantastisch, jongen!' zegt mijn vader.
'Zeker fantastisch,' mompelt Roos, die zich weer heeft omgedraaid en een pannenkoek de lucht in gooit, 'voor een begrafenis.'

Vogels moeten vliegen

'Wil jij ook in beeld?' vraagt Simone.
'Hoe bedoel je?'
'Als Maikel straks moet optreden, weet je wel. Dan komt de familie toch ook altijd in beeld?'
We zitten op onze knieën in Simones vogelkooi en schrapen met plastic schepjes harde stukjes vogelpoep van de houten vloer. We hebben blauwe regenpakken aan, zodat de parkietjes niet op onze kleren kunnen kakken.
Eigenlijk is de kooi van Simones vader. Die heeft hem jaren geleden in een hoek van de woonkamer gebouwd. Toen zaten er nog dertig parkietjes in. Nu zijn er nog maar drie over: Geeltje, Peppie en Dixie. De andere zijn dood of verkocht. Toch wil Simone de kooi en de vogeltjes graag houden, als herinnering aan haar vader. Het enige nadeel is dat ze hem elke week moet schoonmaken. Meestal help ik mee. Ik vind het een vies klusje, maar omdat de parkietjes heel belangrijk zijn voor Simone doe ik het graag.
'O ja,' zeg ik. 'Daar heb ik nog niet eens aan gedacht.'
Simone veegt een berg poepjes op een blik en gooit ze in een vuilniszak.
'Dat zou ik dan maar eens gaan doen,' zegt ze. 'Stel je voor dat

je gekke kleren aanhebt, dan sta je maandag mooi voor schut op school.'
We schrapen weer door. De stukjes zitten zo vast dat ik er lamme armen van krijg. De parkietjes zitten naast elkaar op een stok en kwetteren het uit. Dat doen ze altijd als we hun hok schoonmaken. Uit de keuken klinkt het gezoem van een naaimachine. Simones moeder zit aan de eettafel en maakt nieuwe kleren. Bijna alle kleren die Simone en haar moeder dragen heeft ze zelf gemaakt. Ze is er zo goed in dat je niet kunt zien dat ze zelfgemaakt zijn. Op school vragen de meiden wel eens waar Simone die mooie kleren vandaan heeft. Dan zegt ze altijd: 'Uit Parijs. Daar woont een rijke oom die ons elk seizoen de nieuwste mode stuurt.'
'Hoeveel mensen mag hij eigenlijk meenemen?' vraagt Simone.
Ik stop met schrapen en veeg het zweet van mijn lippen. 'Wie?'
Simone stopt ook. Ze heeft het net zo heet als ik. 'Maikel natuurlijk,' zegt ze. 'Hoeveel mensen mag hij meenemen naar de auditie?'
'Geen idee. Dat stond niet in de mail.'
'Dus als hij honderd mensen meeneemt is het ook goed?'
Ik leg het schepje neer en kijk naar de rode plekken op mijn handen. 'Misschien wel,' zeg ik. 'Maar we gaan met z'n vieren: Maikel, mijn vader, Roos en ik. Mijn moeder blijft thuis omdat ze veel te zenuwachtig is. Mijn vader wilde ook thuisblijven, maar dat gaat niet omdat Maikel zonder hem niet wil zingen.'
'En ik?' zegt Simone. 'Mag ik niet mee?'
'En ik?' roept haar moeder. Het gezoem van de naaimachine is gestopt, waardoor ze ons gesprekje heeft gehoord.
'Wat zei je?' roept Simone terug. Ze heeft haar moeder wel verstaan, maar ze vindt het leuk om haar twee of drie keer iets te laten herhalen.
'Of ik ook mee mag naar de auditie!' roept haar moeder.

Ik zie dat Simone weer 'Wat zei je?' wil roepen, maar ik schud mijn hoofd. Het is best leuk om je ouders af en toe te pesten, maar met haar moeder krijg ik altijd medelijden.
'Laten we maar even pauze nemen,' zeg ik. 'Dan kunnen we rustig met elkaar praten.'
'Nee, die kooi moet eerst schoon!' zegt Simone fel. 'Ik heb geen zin om straks wéér in dat stinkhok te kruipen!'
Ik schrik van haar reactie. Het is de eerste keer dat ze de vogelkooi van haar vader een stinkhok noemt.
Ze schrikt er zelf ook van en gaat door met schrapen. Ik wil haar vragen waarom ze ineens zo kribbig deed, maar ik zeg niets. Soms zijn er van die dingen die je niet hoeft te vragen, omdat je het antwoord al weet.
Zwijgend maken we het laatste stuk schoon. Daarna vul ik de bakjes met water en zaadjes bij en gaat Simone met de stofzuiger door het hok. Dat is het hoogtepunt voor de parkietjes. Zodra dat ding begint te loeien, kruipen ze nog dichter tegen elkaar aan, alsof ze bang zijn dat ze in de slang zullen floepen.
Als we onze regenpakken aan de waslijn hebben gehangen, gaan we bij Simones moeder aan tafel zitten. Ze heeft thee gezet en schenkt de glazen vol.
'Mag ik morgen nou mee of niet?' vraagt Simone aan mij.
'Ja, Ilse,' zegt haar moeder. 'Dat heb je nog steeds niet gezegd.'
Omdat ik een slok thee in mijn mond heb, kan ik alleen maar knikken. Dan snappen ze het wel, denk ik.
Maar ze snappen het niet. Ze blazen in hun theeglazen en kijken mij heel serieus aan. Kan het nog gekker? Overal waar wij naartoe gaan, gaan Simone en haar moeder mee. En nu doen ze alsof we vreemden zijn.
'Natuurlijk mogen jullie mee,' zeg ik als mijn mond weer leeg is. 'Wat is dat nou voor vraag?'

'Gewoon,' zegt Simone, 'dat hoor je toch wel eens? Dat mensen beroemd worden en niets meer met hun oude vrienden te maken willen hebben?'
'Daar zit wat in,' zeg ik pesterig. 'Als Maikel straks beroemd is, krijgen we allemaal beroemde vrienden. Dan willen we natuurlijk niets meer met een stel armoedzaaiers als jullie te maken hebben. Dat zou jij toch ook doen?'
'Mooi niet!' zegt Simone. 'Al word ik gigaberoemd, jij zult altijd mijn beste vriendin blijven!'
'Waarom zou dat bij mij dan anders zijn?' vraag ik.
'Ja euh...' stamelt Simone met rooie wangen. 'Laatst las ik in de...'
'In de wat?' zeg ik. Nu ben ik degene die serieus kijkt. Simone gedraagt zich wel vaker onzeker, maar nu is ze echt te ver gegaan.
'In de niks,' zegt haar moeder. 'Simone heeft helemaal niks gelezen.'
Ik kijk naar Simone. Ze trekt haar schouders op en glimlacht een beetje. 'Klopt,' zegt ze. 'Maar het komt wel eens voor, dat weet je zelf ook wel.'
'Is dit gezwam nou eindelijk afgelopen?' zeg ik. 'Jullie gaan gewoon mee naar de auditie, en ook naar de volgende rondes en de finale. Oké?'
'Oké,' zegt Simone. Haar moeder knikt.
Op dat moment horen we wat gefladder en landt Dixie op de keukentafel. Met zijn kleine kraaloogjes kijkt hij nieuwsgierig om zich heen.
'Jullie hebben de deur van de kooi opengelaten!' roept Simones moeder in paniek. 'Doe hem snel dicht, anders ontsnappen die andere twee ook!'
Ik sta meteen op en Simone probeert Dixie te pakken. Maar ze

is te laat. Vliegensvlug wipt het parkietje omhoog en fladdert door de kamer. Samen rennen we achter hem aan. We graaien naar hem zoals je naar een bromvlieg graait die je toch nooit te pakken krijgt. Dan vliegt Dixie door het open raam naar buiten. Terwijl ik naar Dixie sta te kijken, die steeds verder en verder wegvliegt, doet Simone de deur van de kooi dicht. 'Geeltje en Peppie zitten er nog in,' zegt ze als ze naast me komt staan. Haar stem klinkt een beetje hees, alsof ze elk moment in huilen kan uitbarsten. Ik blijf naar Dixie kijken en pak haar hand vast.
'Gelukkig,' zeg ik. 'Maar Dixie is nu vrij.'
Simone zegt niets meer. Ze beseft dat er weer een stukje van haar vader is verdwenen. Op een dag zullen Geeltje en Peppie ook weg zijn. Dan heeft ze alleen haar herinneringen nog. En een paar foto's.
'Misschien is het wel beter zo, Siem,' zeg ik. 'Misschien is het Dixies tijd om weg te vliegen, net als Maikel. Hun hele leven hebben ze opgesloten gezeten: Dixie in zijn kooi en Maikel in zijn kamer. En nu vliegen ze weg, de vrijheid tegemoet.
'Ik hoop het,' zegt Simone bedroefd. 'Voor Dixie en voor Maikel.'

Dertig lange seconden

De audities duren twee dagen. Op de eerste dag moeten alle kandidaten in een sporthal bij elkaar komen en een liedje zingen, zonder muziek, zonder camera's, zonder publiek. Het liedje mag maar dertig seconden duren, dan kun je naar huis en hoor je de volgende dag of je door bent of niet. Als je door bent, mag je een week later weer een liedje zingen, mét muziek én publiek. Dat liedje mag drie minuten duren en wordt live uitgezonden op de televisie. Een jury zegt meteen of je de Sterrenvilla hebt gehaald. In de Sterrenvilla, waar maar tien kandidaten heen mogen, krijg je een week lang zangles, dansles en nog veel meer dingen die bij het showbizzleven horen. Daarna beginnen de afvalrondes. Die gaan hetzelfde als bij *The Voice* en al die andere zangprogramma's: iedere kandidaat zingt een liedje en aan het eind van de avond, als alle sms'jes zijn geteld, valt er iemand af. Na negen superspannende avonden blijft er één kandidaat over, dat is de winnaar, de nieuwe Superster met een eigen cd en een platencontract.

'Allemachtig!' zegt mijn vader als we de warme sporthal binnenkomen. 'Het lijkt wel een fabriek!'
Bij de ingang blijven we staan en kijken verbaasd om ons heen.

De grote hal is onderverdeeld in ongeveer vijftig kleine hokjes. In een van die hokjes moet Maikel straks auditie doen, ik krijg al de bibbers als ik eraan denk.
'Laten we eerst maar in de rij gaan staan,' zegt Simone, 'dan hebben we dat alvast gehad.'
Ze wijst naar een paar tafels met lange rijen ervoor. Ik weet niet hoeveel kandidaten zich hebben ingeschreven, maar het lijkt wel of het hele land is leeggelopen.
Vanwege de drukte gaan alleen Roos en Maikel in de rij staan. Simone, mijn vader en ik lopen naar de kantine. Onze moeders zijn thuisgebleven. Ze zijn veel te nerveus en willen Maikel niet aansteken.
'Poeh,' zegt Simone. 'Ik heb nog nooit zo veel mensen bij elkaar gezien.'
We zitten aan een plastic tafeltje. Ik deel wat blikjes cola uit. Mijn moeder had al voorspeld dat het druk zou worden, daarom heeft ze een grote tas met eten en drinken meegegeven.
Mijn vader trekt zijn blikje open en neem een slok. 'Een fabriek,' zegt hij, 'dát is het. Een gore fabriek waar ze Barbiepoppen of elastiekjes maken.'
Ik neem ook een slokje cola. Mijn vader is knap chagrijnig vandaag. Dat is hij altijd op plekken waar veel mensen bij elkaar komen.
'Nee, het is nog veel erger,' moppert hij door. 'Dit is geen fabriek, dit is een slachthuis, waar duizenden mekkerende schaapjes worden gekeurd en afgemaakt. Alleen de beste schaapjes blijven leven en worden straks op de televisie een voor een doodgeschoten. Het laatste schaapje zal uiteindelijk door de wolven aan stukken worden gescheurd. Zó werkt het hier.'
Simone grinnikt. Ze vindt het wel grappig als mijn vader een mopperbui heeft. Haar vader kon vroeger ook vreselijk moppe-

ren. Maar die meende er niets van. Mijn vader meent het wél, en grappig is hij ook niet.
'Ben je klaar, pap?' zeg ik tegen hem.
'Hoezo, klaar?' vraagt hij met een onschuldig gezicht.
Ik kijk hem kwaad aan. Hij weet precies wat ik bedoel, maar hij doet alsof hij gek is. 'Klaar met mopperen,' zeg ik. 'Waar anders mee?'
'Mag ik geen mening meer hebben?' zegt hij. 'Is dat soms verboden?'
'Nee, dat is niet verboden,' zeg ik. 'Maar we zijn hier voor Maikel. Dus als hij zo bij ons komt zitten, kap je met mopperen, anders wordt hij onrustig en kan hij niet meer zingen.'
'Misschien kunt u beter nu kappen met mopperen,' zegt Simone. 'Ik word er ook een beetje onrustig van.'
Dat is typisch Simone. Ze vindt het prima dat mijn vader zit te mopperen. Maar omdat ik het vervelend vind, zegt ze dat ze er onrustig van wordt. Op die momenten weet ik weer dat ze altijd mijn beste vriendin zal zijn. Al ga ik in India wonen, of bij de Eskimo's.

Maikel heeft nummer 24.899. Ze werken blijkbaar op alfabetische volgorde, anders had hij niet zo'n hoog nummer gekregen.
Hij komt naast mij aan het tafeltje zitten. Hij ziet er opvallend kalm uit en heeft het nummer – op een lange witte sticker – in zijn hand.
'Moet je die op je kleren plakken?' vraag ik.
'Nee, op je voorhoofd,' zegt Roos.
'Je kunt hem het best op je borst plakken,' zegt Simone, 'dan kan de jury het nummer goed zien.'
Maikel houdt de sticker voor zijn borst en kijkt naar zijn vader. Die schudt zijn hoofd. 'Op je buik is beter,' zegt hij. 'Op je borst

plakt hij half op je T-shirt en half op je overhemd, dat is geen gezicht.'
'Je kunt hem ook op je mond plakken,' zegt Roos. 'Dan hoeven we niet voor Jan Doedel tot halfzes te wachten.'
'Halfzes?' reageer ik verbaasd. 'Is hij pas om halfzes aan de beurt?'
Roos pakt Maikels inschrijfformulier uit haar tasje en legt het op tafel. Ik lees het snel door en zie dat Maikel om 17:28 in hokje 44 moet zijn. 'Dit is belachelijk,' zeg ik. 'Dan moeten we hier nog vier uur zitten.'
Onder de tafel gaat Simone op mijn voet staan. Ik begrijp wat ze bedoelt en zeg: 'Nou ja, geeft niks. We hebben genoeg te bikken bij ons, en we kunnen ook even rondlopen. Misschien zien we nog beroemde mensen.'
'Ik heb er al eentje gezien,' zegt Roos. 'Die griezel van *Boulevard*, hoe heet die gast ook alweer?'
Simone noemt gelijk zijn naam. Ze kent zowat alle namen van beroemde mensen uit haar hoofd.
'Die ja,' gaat Roos verder. 'Wat is die gozer lelijk trouwens. Op tv ziet hij er wel aardig uit, maar in het echt lijkt hij net een wandelende etalagepop.'
We kletsen nog wat over beroemde mensen. Daarna wandelen we naar buiten en gaan we op een grasveldje naast de sporthal liggen. Ook hier is het superdruk, maar we vinden een stil plekje achter een paar struiken.
Het is prachtig weer en de zon brandt op onze armen en gezichten. Voor we het weten liggen we heerlijk te maffen. Allemaal. Heel lang.
Als er een grijze wolk voor de zon kruipt, schrik ik wakker. Ik kijk op mijn horloge en zie dat het kwart over vijf is. 'HALLO!' roep ik paniekerig, terwijl ik opsta en wat grasspietjes van mijn

kleren veeg. 'HET IS KWART OVER VIJF! OVER EEN PAAR MINUTEN MOET MAIKEL ZINGEN!'
'Sodeju,' zegt Roos met schorre keel. 'We moeten opschieten.'
We trekken de anderen overeind en lopen naar de deur.
In de sporthal moeten we rennen. De klok staat al op acht minuten voor halfzes en hokje 44 is aan de andere kant van de hal. Onderweg zie ik pas dat we verbrand zijn. Roos is er het ergst aan toe. Die kan maandag met een zak over haar hoofd naar school. Maikels gezicht is ook verbrand, maar dat is niet zo erg. Een kleurtje zou hem wel eens goed van pas kunnen komen tijdens de auditie.
Bij hokje 44 staat een meisje van *Superster*. Ze begroet ons vriendelijk en bekijkt het inschrijfformulier. 'Alles in orde,' zegt ze tegen Maikel. 'Je kan meteen naar binnen als je wilt, er was een uitvaller. Veel succes.'
Ik plak gauw de sticker op Maikels buik en geef hem een zoen. Het gaat zo snel allemaal. Het ene moment liggen we nog op het gras te slapen, het volgende moment gaat Maikel het hokje binnen om auditie te doen.
Het meisje doet de deur achter hem dicht en wij kijken door een vierkant raampje in de deur naar binnen. Achter een tafel zitten twee juryleden, een jonge vrouw en een oudere man. Het zijn geen beroemde mensen, volgens Simone. De vrouw zegt dat Maikel op een blauwe ster moet gaan staan en mag beginnen met zingen.
Ik voel mijn hart in mijn hoofd bonzen als Maikel op de ster staat en zijn ogen dichtdoet. Hij haalt nog één keer diep adem en begint dan te zingen. Ondanks de dichte deur kunnen we zijn stem goed horen. Hij zingt helder en zuiver, alsof hij alleen op z'n kamertje zit.

Als het liedje voorbij is, wordt het muisstil in het hokje. Uit de hokjes om ons heen klinken verschillende stemmen, maar ze dringen niet tot ons door. We staan ademloos met onze neuzen tegen het raampje te wachten op wat er gaat gebeuren.
Maar er gebeurt helemaal niets. De twee juryleden zitten achter hun tafel en Maikel staat nog steeds achter de streep. Ze lijken wel bevroren, zo stijf zien ze eruit. Hoeveel seconden er voorbijgaan weet ik niet, maar het zijn er veel meer dan het liedje heeft geduurd.
Eindelijk zegt de vrouw: 'Bedankt, euh... Maikel,' en wijst naar de deur.
Maikel knikt beleefd en verlaat het hokje. Zonder iets te zeggen loopt hij naar de uitgang. Roos en Simone rennen achter hem aan. Mijn vader en ik blijven bij de deur staan.
'Wat was dat voor liedje, pap?' vraag ik. 'Het stond niet op Maikels lijstje.'
Heel even kijkt mijn vader mij met waterige ogen aan. Dan steekt hij zijn handen in zijn broekzakken en lopen we ook naar de uitgang. Ik verwacht dat hij weer een lang verhaal gaat afsteken: wie het liedje als eerste heeft gezongen, in welke films het is gebruikt en welke zangers en zangeressen het ook hebben gezongen.
Maar deze keer komt er geen lang verhaal. Hij vertelt niet eens hoe het liedje heet. Het enige wat hij zegt is: 'Het winnende liedje!'

Het zwarte gat

‘Hoe laat bellen die showmensen ook alweer?’
‘Tussen twaalf en vijf, mam.’
‘En als ze niet bellen?’
‘Dan zit Maikel niet in de volgende ronde.’
Het is zondag, halftwaalf. Mijn moeder en ik zitten aan de keukentafel, Roos staat voor het aanrecht en smeert krentenbollen.
‘Hoeveel krentenbollen maak je eigenlijk?’ vraagt mijn moeder.
Roos zet drie volle bordjes op tafel en gaat verder met de laatste bollen. ‘Vierentwintig,’ zegt ze. ‘Wij zijn met z’n vijven, en Simone en haar moeder komen ook.’
Mijn moeder pakt een bol en kijkt wat erop zit. ‘Zouden Simone en haar moeder al hebben gegeten?’
Ik zie dat er appelstroop op haar bol zit en pak er ook eentje. ‘Niet als ze rechtstreeks uit de kerk komen,’ zeg ik.
‘Vreemd,’ zegt mijn moeder. ‘Toen ik er was kregen we eten in de kerk.’
We nemen een hap en kijken naar mijn vader, die in de woonkamer een kastje in elkaar probeert te zetten. Het is een klein kastje met een handige gebruiksaanwijzing. Maar mijn vader is er al twee uur mee bezig.

'Dat was met kerst, mam,' zeg ik. 'Met kerst krijg je altijd eten in de kerk. De rest van het jaar is er alleen zo'n plat dingetje.'
'Een hostie heet dat,' zegt ze.
'Een tosti?' roept Roos. 'Krijg je tosti's in de kerk?'
Mijn moeder zucht en neemt nog een hap van haar bol. Ik leg mijn bol op tafel en vraag aan Roos of ze er ook een paar voor Maikel maakt.
'Nee,' zegt ze. 'Gisteren heeft hij zijn avondeten voor de deur laten staan en vanmorgen zijn ontbijt. Ik heb geen zin om weer voor niks naar boven te sjouwen.'
Het klinkt een beetje bot, maar ze heeft wel gelijk. Toen we na de auditie thuiskwamen, is Maikel direct naar zijn kamer gegaan en hebben we niets meer van hem gehoord.
'Wat zou er met hem aan de hand zijn?' vraag ik aan mijn moeder. 'Zou hij soms twijfels hebben gekregen over de zangwedstrijd?'
'Wie weet,' zegt ze. 'Gisteren heeft hij voor het eerst buiten zijn kamertje gezongen. Dat zal best moeilijk voor hem zijn geweest.'
'Ja, dat snap ik,' zeg ik. 'Maar waarom heeft hij zich dan opgegeven?'
'Omdat jezelf achter een computer opgeven heel iets anders is dan met 25.000 mensen auditie doen.'
Roos zet het vierde bordje op tafel en komt naast mij zitten. 'Wat zeuren jullie toch over Maikel,' zegt ze. 'Hij zit gewoon in het zwarte gat. Dat is heel normaal als je iets spannends hebt meegemaakt en het weer stil wordt. Dat heb je ook na oudejaarsavond, dan word je de volgende dag wakker en voel je je heel raar, alsof je verdrietig bent zonder dat je weet waarom.'
Ik pak mijn krentenbol en neem nog een hap. Roos heeft gelijk. Dat rare gevoel op nieuwjaarsdag ken ik ook. Het slaat helemaal nergens op, maar het is er wel, elk jaar weer.

Om tien over twaalf komen Simone en haar moeder binnen. Ze hebben hun mooie kerkkleren nog aan en beginnen meteen aan de krentenbollen.
'Waren er geen tosti's in de kerk?' vraagt Roos.
Simone en haar moeder fronsen hun wenkbrauwen.
'Hosties,' zegt mijn moeder. 'Roos bedoelt hosties.'
Simone knikt. 'Jawel,' zegt ze. 'Op zondag zijn er altijd hosties in de kerk. En wijn natuurlijk, hosties en wijn.'
Roos wil weer wat zeggen, maar mijn moeder schudt heftig haar hoofd. Ze vindt dat we alle geloven moeten respecteren en dat we er geen grapjes over mogen maken.
Na het eten blijven we aan tafel zitten. In het midden staat onze telefoon. We zeggen niets meer en staren naar het apparaat alsof het een kunstwerk is. Zo gaat er een kwartier voorbij, en nog eentje en nog eentje.
Als er om halfdrie nog niet is gebeld, pak ik de laatste twee krentenbollen van het aanrecht en vlieg de trappen op. Ik moet naar Maikel toe. Hij is de enige bij wie ik weer kalm kan worden. Voor zijn kamerdeur blijf ik staan en klop mijn vaste klopje op de deur.
Er komt geen antwoord, dus klop ik nog een keer. Nu iets harder. Maar weer blijft het stil. Terwijl ik mijn geduld begin te verliezen, schieten er allerlei gruwelijke gedachten door mijn hoofd: Maikel die uit het raam is gesprongen, Maikel die aan de lamp hangt, Maikel in een plas met bloed.
Uiteindelijk storm ik de kamer binnen. Ik kijk naar de lamp, naar het bed, naar het raam (dat gewoon dicht zit), maar Maikel is nergens te bekennen. Een paar tellen sta ik daar, radeloos en bang, tot mijn verstand weer begint te werken en ik de deur van de kleerkast opentrek.
Daar zit Maikel, in zijn eigen zwarte gat, met de dopjes van zijn

iPod in zijn oren. 'Hhhebben zzze ge-ge-beld?' vraagt hij. Hij trekt een dopje uit zijn oor en kijkt mij aan. Eigenlijk zou ik hem moeten wurgen, zo boos ben ik op hem. Maar dan kan hij niet meer beroemd worden, en dat zou zonde zijn.
Omdat Maikel niet uit de kast wil komen, ga ik op de grond zitten en smijt de krentenbollen tegen zijn hoofd. Maikel pakt er eentje en neemt een hap. Aan de manier waarop hij kauwt zie ik dat hij net zo nerveus is als ik. Op dat moment voel ik al mijn boosheid verdwijnen en beginnen we te kletsen. Dat is het beste wat je kunt doen als je op iets belangrijks zit te wachten: gewoon een eind weg kletsen, net zolang tot het belangrijke voorbij is.
Om tien voor vier wordt er op de deur geklopt: de R van Roos.
Ik merk dat mijn zenuwen weer oplaaien en roep: 'Binnen!'
De deur gaat een stukje open en het gezicht van Roos verschijnt.
Ze kijkt heel ernstig. Ik schrik en voel dat het mis is.
'Er is gebeld,' zegt ze met een treurig stemmetje. 'Maikel is niet door.'
'Nnnee, d-d-dat k-k-kan nnniet,' zegt Maikel. 'Zzze be-be-bellen a-alleen a-a-als je d-d-door b-b-bent.'
Roos doet alsof ze heel diep nadenkt. Dan krult er een gemene grijns op haar gezicht. 'O ja, dat was het,' zegt ze, 'je bent door.'

Voor de leeuwen

Het is zaterdag, de dag van de tweede auditie. De grote auditie. De échte auditie! Tijdens de eerste auditie hoefde Maikel maar voor twee onbekende juryleden te zingen. Vandaag moet hij voor vier bekende juryleden zingen, en een zaal vol mensen. Dat is groot! Dat is écht! En eng, héél eng!

De show begint pas om acht uur, maar we moeten er al om halfzes zijn voor de soundchecks, de make-up en andere belangrijke dingen.

We gaan weer met hetzelfde clubje als vorige week. Mijn moeder kijkt bij Simones moeder tv. Van de show konden we zes kaartjes krijgen, maar we hebben er twee genomen, eentje voor mijn vader en eentje voor Simone. Ik blijf bij Maikel, om hem te helpen als hij stottert, en Roos komt er ook bij als de uitzending begint.

Om vijf uur zitten we in de auto. Behalve mijn vader, die moet altijd vijftig keer naar de wc als we naar iets belangrijks gaan. Bij de eerste auditie had hij er weinig last van, maar nu is het weer raak.

'Waar blijft die sufkop nou?' moppert Roos. 'Straks komen we te laat.'

'Ik ga hem wel halen,' zeg ik, terwijl ik uit de auto spring. 'Misschien is hij op de wc in slaap gevallen.'

Ik ren ons huis binnen en roep: 'PAP, WAAR BEN JE? WE MOETEN WEG!'
Er komt geen antwoord. De keuken en de woonkamer zijn leeg. Ik kijk in de wc, maar daar zit hij ook niet. Het stinkt er wel als een mestput en de bril is nog warm, dus hij moet in de buurt zijn.
'PAP!' roep ik weer. 'WAAR ZIT JE?'
Ergens in de verte hoor ik zijn stem. De stem komt van boven, maar ik kan hem niet verstaan.
Binnen twee tellen sprint ik de trap op en storm de kamer van mijn vader binnen. Daar zit hij, op zijn hurken voor het nieuwe kastje.
'Jeetje!' zeg ik. 'We zitten al een eeuwigheid op je te wachten!'
Mijn vader blijft rustig zitten en kijkt naar een ingelijste foto op het kastje. Het is een zwartwit-foto van een knappe man. Hij lijkt sprekend op Maikel, maar dan twintig jaar ouder.
'Wat is dit allemaal, pap?' vraag ik ongerust.
Hij kijkt nog even naar de foto. Dan staat hij op en legt een hand op mijn schouder. 'Dat leg ik je later wel uit, Ilse,' zegt hij, 'als je wat ouder bent.'

In het theater worden Maikel en ik meteen meegenomen door een aardige vrouw. Ze draagt een grote koptelefoon om haar nek en vraagt of Maikel er zin in heeft.
'Natuurlijk,' antwoord ik. 'Hij barst van de zin.'
Maikel knijpt in mijn hand en lacht naar me. Hij is blij dat ik mee mag. Ik ben ook blij, want ik heb geen zin om drie uur in een volle kantine te zitten.
De vrouw brengt ons naar een speciale vipruimte met luxe, rode banken en een doorzichtige koelkast vol blikjes fris en bier. Op de banken zitten de andere kandidaten.

Maikel en ik zoeken een goed plekje. De meeste kandidaten zijn een stuk ouder dan Maikel. Er zijn er maar drie van zijn leeftijd: twee meisjes en een jongen. Ze zien er veel knapper uit dan Maikel. Maar zingen kunnen ze vast niet zo goed.
De deur gaat weer open en er komen twee oudere mannen binnen. De voorste is de regisseur, de achterste de producent. De producent heet ons van harte welkom en zegt dat we er een groot spektakel van gaan maken. De regisseur vertelt wat er de komende uren allemaal gaat gebeuren. Eerst moet elke deelnemer een soundcheck doen. Dan is er een korte eetpauze, en na de pauze moeten de kandidaten naar de make-up. Als dat achter de rug is kan de show beginnen.
'Gaat het zingen weer op alfabet?' vraagt een vrouw met knalrood haar en een paarse soepjurk.
'Nee,' zegt de regisseur. 'Ik heb hier een lijst, daarop staat hoe laat je op moet. Zorg dat je jouw tijd goed in de gaten houdt. Dit is live televisie, en er mag niets misgaan.'
Als de twee mannen weg zijn, komt de vrouw met de koptelefoon Maikel halen voor de eerste soundcheck. Dat komt goed uit, want hij begon zich al ongemakkelijk te voelen tussen al die vreemde mensen.

'Zijn jullie een duo?' vraagt de geluidsman.
'Nee, ik ben het zusje van Maikel,' antwoord ik. 'Mijn broer stottert als een gek. Daarom ben ik erbij, om hem te helpen.'
We staan met z'n tweetjes op een leeg podium: Maikel met de tas kleren onder zijn arm, ik met warme handjes in mijn broekzakken. De geluidsman zit in een hokje. We kunnen hem niet zien, alleen horen. 'Oké,' zegt hij. 'We starten zo de muziek. Zeg tegen je broer dat hij dicht bij de microfoon gaat staan en een stukje zingt. Is dat duidelijk?'

'Jawel,' zeg ik. 'En u kunt gewoon tegen hem praten, hij is niet doof.'
Ik pak Maikels tas en duw hem richting de microfoon. Sloom sloft hij naar voren en gaat bijna met zijn neus tegen de dop aan staan. Dan begint de muziek, keihard. Ik schrik me te pletter en val bijna om. Maikel schrikt ook, maar hij blijft staan en begint net op tijd te zingen.
Na een paar tellen stopt de muziek en roept de geluidsman: 'Kun je een stukje van de microfoon af gaan staan? Straks springen de ramen eruit.'
Maikel zet een stap naar achteren en begint opnieuw. Ik weet niet of zijn ogen open of dicht zijn. Maar aan zijn zuivere stem te horen zijn ze dicht.
Weer stopt de muziek en vraagt de geluidsman of Maikel nog wat verder van de microfoon wil gaan staan. Ze proberen het nog een keer. Nu lukt het wel. Maikel staat best ver van de microfoon, maar het klinkt een stuk beter.
'Dank je wel, Maikel,' zegt de geluidsman. 'Denk eraan dat je vanavond op dezelfde plek gaat staan. Je hebt een dijk van een stem, maar die moet wel goed tot zijn recht komen.'
In de vipruimte staat een lange tafel met broodjes klaar. De kandidaten zitten gezellig te eten en te kletsen. Er is geen plaats meer voor ons, dus lopen we naar een rode bank.
'En, hoe vond je het?' vraag ik als we op de bank zitten.
Maikel kijkt naar de mensen aan tafel. Ik zie aan zijn ogen dat hij er graag bij zou horen. Zijn hele leven wil Maikel al bij de mensen horen. Maar hij hoort er niet bij. Hij hoort nergens bij. Alleen bij ons en zijn muziek. 'Wwwat zzzei je?' zegt hij.
'Of ik de anderen even zal bellen,' zeg ik. 'Ze zijn vast benieuwd hoe het is gegaan.'
'Jjja, d-d-doe mmmaar,' zegt Maikel, zonder mij aan te kijken.

Met mijn mobieltje bel ik Simone.
'Hè hè,' zegt ze. 'Waarom heb je niet eerder gebeld?'
'Omdat Maikel meteen naar de soundcheck moest.'
Simone staat op en loopt naar een plek waar het wat rustiger is.
'En hoe ging dat? Die soundcheck, bedoel ik.'
'Heel goed. De geluidsman zei dat Maikel een dijk van een stem heeft.'
Op de achtergrond hoor ik Roos iets roepen.
'Wat zegt ze?' vraag ik. 'Of heeft ze het niet tegen jou?'
'Jawel. Ze zegt dat ze om halfacht naar jullie toe komt. Dan mogen wij en de andere families de zaal in om de beste plaatsen in te pikken.'
Ik neem een slokje cola en zie dat de twee jonge meisjes naar een bank toe lopen. Naast mij draait Maikels hoofd langzaam met ze mee.
'Waarom mag ík eigenlijk niet bij jullie komen?' vraagt Simone.
'Omdat mijn vader anders alleen zit,' zeg ik. 'En omdat hij bij jou minder nerveus is dan bij Roos.'
Simone zucht teleurgesteld. Ze zegt dat hij helemaal niet nerveus is, en dat hij pas drie keer naar de wc is geweest. Ik probeer haar een beetje op te vrolijken en zie dat Maikel nog altijd naar de twee meisjes kijkt.
'Nou ja,' zegt Simone, die steeds harder moet praten vanwege de herrie in de kantine, 'dan ga ik maar ophangen. Wens Maikel veel succes, hè?'
'Zal ik doen,' zeg ik. 'En jullie veel plezier.'

Maikel is als laatste aan de beurt. Op de lijst aan de muur stond hij nog als tiende. Maar tijdens het eten heeft de vrouw met de koptelefoon zijn naam doorgestreept en onderaan gezet. Het ging zo snel dat we geen tijd hadden om te vragen waarom.

Volgens Roos, die inmiddels met een zak chips tussen ons in is geploft, komt het omdat ze de beste kandidaat altijd tot het laatst bewaren.
Het klinkt heel logisch, maar ik ben er nog niet zo zeker van. Al vanaf het begin ben ik bang dat Maikel het niet zal halen. Niet omdat hij geen goede zanger zou zijn, maar omdat hij zo verlegen is.
Na vijftien optredens moet Maikel naar de make-up. Roos en ik moeten ook mee, omdat ze geen zweetwangen of glimneuzen in beeld willen.
Als we zijn opgemaakt lopen Roos en ik terug naar de vipruimte. Maikel gaat naar een kleedkamer om zijn nieuwe kleren aan te trekken.
'Maakt hij een kans, denk je?' vraag ik aan Roos. 'Die andere kandidaten zijn wel steengoed.'
Roos grinnikt en kijkt op haar horloge. 'Het gaat niet om goed,' zegt ze. 'Het gaat om écht. En Maikel is écht. Die andere figuren zijn allemaal nep.'

Een halfuur later is het eindelijk zover. Als de negentiende kandidaat aan zijn liedje begint, komt de vrouw met de koptelefoon ons halen. We lopen snel achter haar aan en komen in een kleine ruimte naast het podium. Daar wacht Mandy – een van de twee presentatoren – ons op.
'Dag, Maikel,' zegt ze, en geeft hem een hand. 'Ben je er klaar voor?'
'Jjja,' antwoordt Maikel, 'ik b-b-b...'
'Hij is er klaar voor,' zeg ik.
Mandy glimlacht. Ze weet blijkbaar al dat Maikel stottert en vindt het niet erg dat ik hem help. 'Je hebt lang moeten wachten,' zegt ze, 'maar nu is het grote moment daar. Ben je zenuwachtig?'

'Ja, hij is zenuwachtig,' zeg ik. 'Heb je nog meer leuke vragen?' Ik weet dat er twee camera's om ons heen staan. Maar dat kan me niets schelen. Als mensen Maikel met opzet laten stotteren, word ik woest.
Mandy houdt op met vragen. Dat is maar goed ook, want ik zie dat Roos zich ook staat op te winden. En dat kun je beter niet op tv uitzenden.
'Nou, Maikel,' zegt Mandy, die hem voor de tweede keer een hand geeft, 'dan wens ik je superveel succes met je eerste optreden in *Superster!*'
Vanaf het podium horen we Pepijn – de andere presentator – de laatste kandidaat van de avond aankondigen. De vrouw met de koptelefoon duwt Maikel een stukje naar voren. Roos en ik blijven bij Mandy staan.
'GEEF HEM DAAROM EEN HARTVERWARMEND APPLAUS!' roept Pepijn. 'HIER IS MAIKEL WESTBROEK!'
Onder een daverend applaus loopt Maikel het podium op. Ik krijg er een brok van in mijn keel en voel dat Roos mijn hand vastpakt.
Zodra Maikel voor de microfoon staat, wordt de muziek gestart. Zijn ogen gaan dicht en hij haalt nog één keer diep adem. Dan begint hij te zingen. Het is het liedje 'Lonely Boy', dat hij elke dag op zijn kamer heeft geoefend.
Het publiek begint meteen te juichen. Ze maken zo veel herrie dat ik even bang ben dat Maikel zal stoppen. Maar zijn ogen blijven dicht en hij zingt gewoon door.
'DAAR HEB JE PAPA EN SIMONE!' roept Roos in mijn oor. Ze wijst naar een kleine tv naast ons. Daarop zien we de gezichten mijn vader en Simone in beeld. De wangen van mijn vader glimmen en Simone snuit haar neus.
Na het liedje staat het publiek op en juicht en klapt en joelt.

Als ze eindelijk klaar zijn, draait Maikel zich om en loopt naar ons toe.
Dan klinkt er opeens een stem uit de zaal: 'Hé, kom eens terug!'
Maikel blijft stokstijf staan. Hij kijkt ons onzeker aan. Ik zou hem wel van het podium willen trekken, maar dat durf ik niet.
Voorzichtig kijkt Maikel achterom. Het publiek begint hard te lachen.
'Ja, jij!' zegt de stem. 'Kom eens terug naar voren!'
Terwijl Maikel zich langzaam omdraait, herken ik de stem. Het is Tracey, een van de juryleden. Ik weet niet of ze hem heeft geroepen om hem af te kraken of een complimentje te geven. Maar ik vrees het ergste.

Nagelbijten

Met tegenzin slentert Maikel terug naar de microfoon. Het publiek lacht niet meer. Het enige wat de mensen doen is klappen.
'Dit gaat mis!' zeg ik tegen Roos. 'Dit gaat hartstikke mis!'
Roos zegt niets en knijpt in mijn hand.
'Zo, Maikel,' zegt Tracey als het applaus is gestopt en Maikel weer voor de microfoon staat. 'Dat was een bijzonder optreden.'
Bijzonder? Wat betekent dat? Bijzonder slecht of bijzonder goed?
'Dat is nog zachtjes uitgedrukt,' zegt Brandon, een ander jurylid. 'Ik heb veel audities gezien in mijn leven, maar deze zal ik niet snel vergeten!'
Het publiek klapt even en wordt weer stil.
Nu is het Peter, het oudste jurylid, die het woord neemt: 'Ik zie hier op je inschrijfformulier dat je nog nooit hebt opgetreden. Zangles heb je ook nog nooit gehad, en je weet niet waarom je aan *Superster* meedoet. Klopt dat?'
Maikel knikt. Heel slim. Zolang hij met zijn hoofd 'ja' en 'nee' kan zeggen is er niets aan de hand.
'En dat liedje, "Lonely Boy",' zegt Alicia, het vierde jurylid, 'is een nummer van Paul Anka uit 1959. Dat is 54 jaar geleden. Toen waren je ouders nog niet eens geboren, neem ik aan.'
Het liefst zou Maikel nee schudden. Maar hij heeft een hekel

aan liegen, daarom zegt hij: 'A-a-alleen mmmijn vvvader. D-d-die is zzzesenvij-vij-vijftig.'
Sommige mensen in de zaal beginnen te giechelen. Alicia lacht zelf niet mee, maar ik zie aan haar twinkelende oogjes dat ze het wel leuk vindt. Wat een rotwijf. Van de regisseur heeft ze natuurlijk gehoord dat Maikel stottert, en dat gebruikt ze om het publiek aan het lachen te maken.
Ik sta bijna te koken van woede en wil het podium op rennen om ze uit te schelden. Maar Roos heeft mij van achteren vastgepakt en drukt een hand op mijn mond. 'Hou je in, Ilse!' fluistert ze in mijn oor. 'Dit is juist goed!'
Ik schop met mijn hak tegen haar schenen. Haar hand schuift een stukje van mijn mond en ze geeft me een schop terug.
'Hoezo, goed?' vraag ik. 'Waarom is dit goed?'
'O, neem me niet kwalijk,' hoor ik Alicia tegen Maikel zeggen. 'Ik wist niet hoe oud je vader is. En het spijt me dat ik je heb laten stotteren.'
'BOEOEOE!' joelt het publiek.
Roos drukt haar hand weer op mijn mond en zegt: 'Omdat iedereen het nu voor Maikel gaan opnemen. Luister maar.'
De toeschouwers zitten nog steeds te joelen en ik voel de ergste woede uit mij verdwijnen.
'Trek het je maar niet aan, Maikel,' zegt Brandon. 'Je hebt het fantastisch gedaan en ik vind je een kanjer!'
Het publiek begint weer te klappen en te juichen.
'Dat vind ik ook,' zegt Tracey. 'Mij heb je zeker overtuigd.'
Het gejuich wordt harder. Roos haalt haar hand van mijn mond en houdt alleen mijn arm nog vast.
'Mij ook, hoor,' zegt Peter. 'Maar ik heb twee minpuntjes. Het eerste is dat je er als een stijve hark bij staat, en het tweede is...'
Hij kan zijn zin niet eens afmaken, zo hard begint het publiek

te joelen en te fluiten. Peter wacht rustig tot het wat stiller wordt en gaat dan verder met zijn verhaal: 'Het tweede is dat je stem precies hetzelfde klinkt als die van Paul Anka. Daardoor lijkt het meer op een imitatie dan op een vertolking.'
Roos drukt haar hand weer op mijn mond. Maar dat is niet nodig, want het publiek begint keihard 'MAIKEL! MAIKEL! MAIKEL!' te roepen.
Op de tv naast ons zie ik Maikel verlegen glimlachen. Roos ziet het ook en laat mij los. Vol trots kijken we naar Maikel en luisteren naar het publiek.
'Begrijp je nou wat ik bedoel?' roept Roos in mijn oor.
'Ja!' roep ik terug. 'Nu begrijp ik het!'
In de vipruimte krijgt Maikel nog meer applaus. Hij is de enige kandidaat die hier een applaus heeft gekregen. Zelfs de twee meisjes, die tijdens het eten niet eens naar hem keken, klappen enthousiast mee.
Mijn vader en Simone komen ook binnen. Simone vliegt Maikel spontaan om zijn nek. Mijn vader geeft hem een hand en zegt: 'Goed zo, jongen.'
Er staat een nieuwe voorraad blikjes op de tafels. Roos pakt er een paar en deelt ze uit. Maikel wordt intussen door iedereen gefeliciteerd. Het is zo druk om hem heen dat ik niet kan zien of hij het leuk vindt.
'Waarom doen ze dit eigenlijk?' vraag ik aan Simone. 'Omdat hij zo goed heeft gezongen, of omdat ze het moedig vinden dat een stotteraar aan een zangprogramma meedoet?'
'Allebei, denk ik,' zegt Simone.
'Of geen van beide,' zegt Roos, die achter ons staat.
We draaien ons om en ik vraag: 'Hoe bedoel je, geen van beide?'
Roos drinkt gulzig haar blikje leeg, knijpt het in de kreukels en gooit het met een boog in de vuilnisbak. 'Precies wat ik zeg,'

antwoordt ze. 'Het zijn allemaal nepfiguren, dus zullen die felicitaties ook wel nep zijn.'

Om halftwaalf moeten alle kandidaten naar het podium voor de uitslag. De rest blijft in de vipruimte. Roos, Simone en ik hebben een goed plekje op een bank gevonden. Mijn vader zit op de wc, voor de zesde keer.
Op een grote tv zien we Mandy en Pepijn op het podium staan. Achter hen staan de kandidaten, netjes op een rij. We hoeven niet lang te zoeken waar Maikel staat. Ook zonder zijn zwarte kleren weten we dat hij aan de zijkant staat. Daar voelt hij zich het veiligst en kan hij direct weg als hij het niet heeft gehaald.
Eerst steekt Mandy een heel verhaal af: hoe geweldig de avond was en wat een supertalenten ze heeft gehoord. Daarna kletst Pepijn er nog een stukje achteraan, en dan is de jury aan de beurt.
'Allereerst wil ik jullie allemaal bedanken,' begint Peter. 'Jullie hebben het uitstekend gedaan, maar tegelijk hebben jullie ons met een groot probleem opgezadeld. Er mogen namelijk maar tien kandidaten naar de Sterrenvilla, en eigenlijk verdienen jullie het allemaal.'
'Bla, bla, bla!' zegt Roos hardop. 'Dat gezeur kennen we nou wel!'
'Stil nou,' fluister ik. 'Iedereen kijkt naar je.'
'Fijn,' zegt Roos, terwijl ze naar de mensen zwaait die naar haar kijken.
Op de tv gaat Peter verder met zijn toespraak. Hij kwekt maar door over hoe goed de kandidaten zijn en hoe moeilijk het is om er tien naar huis te sturen. Na vijf minuten zwammen begint hij eindelijk aan de namen die naar de Sterrenvilla mogen.
'Als eerste is door: Miranda Peer!'
Voor in de vipruimte springt een familie juichend omhoog.

'Miranda Peer,' zegt Roos, 'is dat niet dat maffe mens met dat rooie haar en die paarse jurk?'
Ik knik en blijf gespannen naar de tv kijken.
De tweede naam wordt genoemd. Weer springt er een familie de lucht in. Ze dansen en springen alsof ze de show al gewonnen hebben.
Zo gaat het maar door. Telkens als er een naam wordt genoemd, schiet er een familie omhoog en worden de kansen van Maikel kleiner en kleiner.
Als er acht namen bekend zijn, sta ik op en loop naar de deur.
De negende naam wordt genoemd. Er springt weer een familie omhoog. Ik leg mijn hand alvast op de deurklink om het theater uit te rennen.
'En de laatste naam,' zegt Peter sloom, 'de tiende kandidaat die naar de Sterrenvilla mag is...' Hij laat een stilte vallen. Schiet nou op, sukkel, denk ik. Zeg gewoon dat Maikel het niet heeft gehaald, dan kunnen we weg.
Peter grijnst even. Hij vindt het blijkbaar leuk om ons een hartverzakking te bezorgen. Dan doet hij heel langzaam zijn mond open en zegt: 'Maikel Westbroek!'
Achter mij hoor ik Simone en Roos juichen. Ook de andere mensen in de vipruimte juichen een beetje mee. Maar daar heb ik geen tijd voor. Ik trek de deur open, sprint naar de wc's en ga de heren-wc binnen.
'PAPAAA!' roep ik. 'WAAR ZIT JE?' Ik kruip snel langs de halve deurtjes, tot ik de schoenen van mijn vader zie.
'Wat is er?' vraagt hij. 'Heeft hij het gehaald?'
Zinderend van blijdschap ga ik languit op de koude vloer liggen en steek mijn hoofd onder het deurtje door. 'JAAAAA!' schreeuw ik tegen de stank in. 'MAIKEL ZIT ERBIJ!'

Wereldnieuws

Soms kan het weer ineens omslaan. De ene dag lig je nog lekker in de zon te bakken, de volgende dag regent het pijpenstelen en zit je treurig achter het raam te koekeloeren.
Zo ging het ook ongeveer met ons. Gisteren waren we nog een gewoon gezin in een gewoon huis in een gewone straat, vandaag zijn we ineens de beroemdste familie van het land.
Mijn moeder en ik merken het als eerste. Elke zondagmorgen gaan we samen naar beneden om het ontbijt te maken.
'Goeiedag!' zegt ze als ze de keuken binnen loopt. 'Wat krijgen we nou?'
Ze gaat voor het raam staan en er schieten meteen een paar felle flitsen naar binnen. Ik denk dat er een dikke onweersbui is losgebarsten. Maar als ik naast haar sta, zie ik dat de flitsen niet van boven komen maar uit een stuk of honderd fotocamera's. Ik schrik me rot en trek snel mijn badjas tot bovenaan dicht.
'Jemig, mam!' zeg ik. 'Wat moeten we nou doen?'
Ook mijn moeder houdt haar badjas dicht. 'Roep je vader maar,' zegt ze. 'Nee, roep iedereen maar, anders moet ik het drie keer uitleggen.'
Ik ren naar de trap en roep: 'PAP, ROOS, MAIKEL! KOM SNEL BENEDEN, ER IS IETS ERGS GEBEURD!'

In de keuken laat mijn moeder de luxaflexen zakken. Ons keukenraam is nogal breed, dus ze moet er vier doen. Intussen komen mijn vader en Roos uit hun slaapkamers en stommelen de trap af. Ze hebben geen badjas aan, dus houd ik ze onder aan de trap tegen. 'Wacht even,' zeg ik. 'Eerst moeten alle luxaflexen naar beneden zijn, dan kunnen jullie pas verder.'
'Doe niet zo idioot,' zegt Roos. Ze duwt mij opzij en loopt naar het raam. Mijn vader en ik blijven staan en zien Roos als een speer terugrennen.
'Stomme trut!' snauwt ze, terwijl ze hard in mijn bovenarm knijpt. 'Had je niet eerder kunnen zeggen dat de halve stad op de stoep staat?'
'Hou op!' gromt mijn vader streng. 'En bied je excuus aan!'
'Sorry,' mompelt Roos met tegenzin.
Als alle luxaflexen voor de ramen hangen en mijn moeder het licht heeft aangedaan, lopen we de keuken binnen. Maikel is er ook bij. Hij ziet eruit alsof hij de hele nacht in de wasmachine heeft geslapen.
Mijn vader en Maikel turen tussen de spleetjes van de luxaflex door naar buiten. 'Goeie genade!' zegt mijn vader. 'Wat doen al die mensen daar?'
'Wachten op Maikel,' zegt Roos, die haar laptop uit de woonkamer heeft gehaald en op de keukentafel legt. 'Wat dacht jij dan?'
Maikel gaat naast Roos aan tafel zitten. Hij heeft een zwarte pyjama aan en zijn gezicht zit vol met slaapkreukels. Uit de laptop klinkt zijn liedje van gisteravond. Ik krijg er weer een brok van in mijn keel.
'Wauw!' zegt Roos. 'Moet je dit zien!'
We komen allemaal om haar heen staan en kijken naar een filmpje van Maikels optreden op YouTube. Roos wijst naar een getal

onder het beeld. 'Dit is niet normaal!' zegt ze. 'Het is nog geen twaalf uur geleden dat Maikel heeft gezongen, en hij heeft nu al een half miljoen hits!'
'Hits?' vraagt mijn moeder. 'Zijn dat kijkers?'
Niemand geeft antwoord en Roos zet het geluid van het filmpje uit. Mijn vader gaat ook aan tafel zitten. Hij slaakt een diepe zucht en woelt met zijn handen door zijn grijze haar.
'Zal ik de politie bellen?' zeg ik. 'Zo kunnen we niet eens naar buiten.'
'Dat heeft geen zin,' zegt mijn vader. 'Die mensen staan achter ons hek op de openbare weg. Daar komt de politie niet voor.'
Hij is nog niet uitgesproken of we horen plotseling het gejengel van een sirene dichterbij komen. We rennen naar het raam en zien door de luxaflex twee politieauto's de straat in rijden. Ze stoppen recht voor ons huis en er stappen vijf agenten uit.
'O jee,' zegt mijn moeder. 'Als dat maar geen knokpartij wordt.'
De agenten praten een tijdje met de mensen. Pas nu zie ik dat het bijna allemaal meisjes en jonge vrouwen zijn.
Na tien minuten worstelt een van de agenten zich door de groep heen en zwaait naar ons. Hij heeft zeker gezien dat we achter de luxaflex staan.
Mijn vader loopt naar de gang en drukt op het knopje van het elektrische hek. De agent stapt er snel door en duwt het hek achter zich dicht.
In de keuken vertelt hij dat meneer Visser, onze gezellige buurman, de politie heeft gebeld. Eerst namen ze de melding niet serieus, omdat het niet verboden is om met een groepje mensen op straat te staan. Maar nu het er zoveel zijn geworden, moeten ze wel ingrijpen.
'Mooi zo,' zegt mijn moeder, 'dan kunnen wij weer gewoon leven.'

De agent kijkt naar mijn moeder en schudt zijn hoofd. 'Ik vrees dat dat er voorlopig niet in zit, mevrouw,' zegt hij.
'Waarom niet?' vraagt mijn moeder ongerust.
Mijn vader legt een hand op haar schouder en fluistert dat ze zich niet zo moet opwinden. Mijn moeder trekt een sip gezicht. Ze snapt ook wel dat die mensen niet zomaar weggaan, ze krijgt er alleen de kriebels van, net als ik.
'Maar we hebben een deal met ze gemaakt,' zegt de agent. 'Als uw zoon naar buiten komt en wat handtekeningen uitdeelt, dan gaan ze weg. Zo niet dan zullen wij ze wegsturen en staan ze er over een uur weer.'
We kijken naar Maikel. Hij moet beslissen wat er gaat gebeuren. Ik weet dat hij geen zin heeft. Maar hij wil ook dat die mensen weggaan. Daarom zeurt hij niet en gaat hij naar boven om zich aan te kleden.
Even later loopt hij samen met de politieagent naar buiten en wordt hij zowat platgedrukt door honderden gillende fans. Ze willen met hem op de foto, ze willen hem aanraken, omhelzen, zoenen. En een handtekening, dat willen ze ook. Een stukje papier met de naam van Maikel erop. Mijn saaie, stotterende broer, waar nog nooit een mens naar om heeft gekeken en die sinds vandaag een wereldster schijnt te zijn.
De rest van de dag hangen we voor de tv en kijken we eindeloos naar de beelden van de stormloop. Blijkbaar waren er ook een paar cameraploegen bij die het hebben opgenomen. Welke zender we ook opzetten, bijna overal zien we de hysterische vrouwen en Maikel met vijf agenten om zich heen.
Het zijn vreemde beelden van een vreemde situatie. Toch is er iets dat nog veel vreemder is, iets waar ik telkens met verbazing naar kijk: Maikels gezicht. Dat ziet er namelijk niet meer bang en onzeker uit, maar heel rustig en zelfverzekerd. Ik weet nog

niet wat ik ervan moet denken. Het zou best kunnen dat hij toneelspeelt om de mensen een plezier te doen. Er zijn wel meer sterren die thuis onzeker zijn en op tv heel flink overkomen. Maar wat als dat niet zo is? Wat als Maikel door al die bewondering écht denkt dat hij geweldig is? Wat gaat er dán met hem gebeuren?

Op maandag wordt alles nog erger. Als mijn vader op zijn werk komt, staan zijn collega's hem met taart en slingers op te wachten. Maikel wordt op het schoolplein door massa's gillende meiden bestormd en kan op het nippertje ontsnappen. Roos moet zo veel vragen van klasgenoten beantwoorden dat ze er ook gauw vandoor gaat. En in mijn klas zijn alle slaapmutsen wakker geworden. Jaren hebben ze geslapen, van groep een tot groep acht. Maar sinds Maikels optreden in *Superster* zijn ze opeens klaarwakker.
'Heeft je broer al verkering?' vraagt Hadassa.
'Kun je kaartjes voor ons regelen?' vraagt Lindsey.
'En een foto met een handtekening?' vragen twee andere meiden.
Zo gaat het maar door. Ze willen alles weten over Maikel. Zelfs juffrouw Biemans vraagt of ik voor de klas het hele verhaal wil vertellen. Maar daar heb ik geen zin in. Ik heb geen zin om over *Superster* te praten, en ook niet over Maikel. Het enige wat ik wil is naar huis. Dat wil ik al weken, maar nu heb ik eindelijk een reden om het te doen.
Om kwart over tien zitten we met sombere gezichten aan de keukentafel: mijn vader, Roos, Maikel en ik. Mijn moeder zat er al, met een potje thee en een pak koekjes. Ze wist precies wat er zou gebeuren en vertelt ons wat ze heeft geregeld: Roos hoeft een week niet naar school, zodat ze wat extra huiswerk kan maken. Ik hoef ook een week niet naar school, omdat ik met

Maikel naar de Sterrenvilla ga. Maikel mag zijn huiswerk via de mail doen. En mijn vader werkt thuis, omdat hij zich op het architectenbureau niet kan concentreren.
Eigenlijk zouden we nu opgelucht en blij moeten zijn. Maar we zijn niet opgelucht, en al helemaal niet blij. We zitten nog steeds met sombere gezichten aan tafel en weten dat ons leven totaal overhoop ligt.
Gelukkig gaan Maikel en ik vanavond naar de Sterrenvilla. Daar zijn we tenminste voor vijf dagen van de gekte verlost.

Nieuwe vrienden

Om halfzeven worden we met een witte limousine opgehaald. Maikel en ik zetten onze weekendtassen achterin en gaan naast elkaar in de Superlimo zitten. Als de auto langzaam wegrijdt, zwaaien we naar onze familie. Ik krijg er een opgewonden gevoel van, alsof we op schoolreisje gaan. Zo'n reisje waarna je bij terugkomst onder de banken kruipt om je ouders te foppen.

De Sterrenvilla is geen villa maar een modern kasteeltje. Links van de gang bevinden zich een gigantische eetzaal en een gezellige huiskamerhoek met heerlijke bankstellen en een joekel van een tv. Aan de andere kant van de gang zijn een paar kleinere ruimtes waar de kandidaten vanaf morgen les zullen krijgen. Op de eerste verdieping zijn twee grote slaapzalen: een voor de vrouwen en een voor de mannen. De leraren en het personeel van de villa hebben een eigen kamer.
'Ik wil niet vervelend zijn,' zeg ik tegen de vrouw die ons een rondleiding geeft, 'maar zouden mijn broer en ik op een aparte kamer mogen? Omdat hij stottert kan hij niet goed met de andere jongens praten. Daarom ben ik meegekomen, anders voelt hij zich zo alleen.'
'Ik begrijp wat je bedoelt,' zegt de vrouw. 'Maar de leiding van

Superster heeft mij verteld dat Maikel gewoon bij de andere jongens moet slapen. Dat is een goede stimulans voor zijn sociale vaardigheden en zijn ontwikkeling als toekomstig artiest.'
Het klinkt alsof ze het verhaaltje uit haar hoofd heeft geleerd.
'Nou ja,' zeg ik teleurgesteld. 'Dat wordt dan een gezellig stotterweekje.'
Na de rondleiding zitten we met alle kandidaten in de huiskamer. Op de tafel staan twee thermoskannen met koffie en thee, en een slagroomtaart met tien kaarsjes erop.
Iedereen heeft zich netjes aan elkaar voorgesteld. Er zijn zeven vrouwen en drie mannen. De twee meisjes en de jongen hebben het ook gehaald. Gelukkig maar, want ik zie Maikel niet tussen een stel ouwe zakken zitten.
De producent heet ons van harte welkom en houdt zo'n saai praatje dat we bijna in slaap soezen. Alleen Maikel blijft helder en staart weer naar de twee meisjes. De donkere, Lyla Budding, kijkt verleidelijk terug. De blonde, Merel Jansen, kijkt af en toe. Ook de jongen, Edwin Faber, kijkt soms naar Maikel. Volgens mij is hij homo. Of een homo in de dop, die heb je ook.
Als de producent eindelijk klaar is, beginnen we aan de drankjes en de taart. Er wordt druk door elkaar heen gekletst. Het valt me op dat niemand iets zegt over wat er gisteren voor ons huis is gebeurd. Zouden ze soms geen tv hebben gekeken? Of zijn ze gewoon jaloers?
Pas als we tegen halfelf met onze tassen naar boven lopen, vraagt Merel aan mij hoe het was met al die mensen voor de deur.
'Heel raar,' antwoord ik. 'Het leek wel een film, een enge film.'
Merel knikt. 'En Maikel?' vraagt ze. 'Hoe vond hij het?'
'Weet ik niet,' zeg ik eerlijk. 'Normaal is Maikel heel verlegen en blijft hij het liefst zo ver mogelijk bij vreemde mensen vandaan.

Maar toen hij zondag tussen die gillende vrouwen stond, vond hij het best leuk.'
'Dat viel mij ook op,' zegt Merel. 'Ik zat met mijn moeder tv te kijken en zag een hele andere Maikel dan de avond ervoor.'
Op de eerste verdieping gaan de drie mannen naar de mannenkamer en lopen wij door naar de vrouwenkamer, aan het eind van de gang.
'Toch is hij dezelfde Maikel, hoor,' zeg ik. 'Toen hij na dat gedoe weer bij ons op de bank zat, was hij net zo verlegen als altijd.'
In de vrouwenkamer staan tien bedden, vijf aan elke kant. Merel en ik gaan als laatste naar binnen en kiezen twee bedden naast elkaar.
'En hoe is het nu?' vraagt ze. 'Is het weer rustig in de straat?'
We ritsen onze tassen open en hangen wat kleren in een kast. Iedereen heeft een eigen kastje, met een klein hangslotje erop.
'Gelukkig wel,' zeg ik. 'Misschien zou het beter zijn als Maikel snel af zou vallen. Maar dat gaat niet gebeuren, denk ik.'
'Dat denk ik ook niet,' zegt Merel, die een tandenborstel uit haar toilettas pakt. 'Als hij zo goed blijft zingen als zaterdag, gaat hij vast de finale halen.'
Ik pak een tandenborstel en een tube tandpasta uit mijn toilettas en loop met Merel naar de badkamer. Alles in de Sterrenvilla is even mooi, maar de badkamer is het allermooist. Er zijn tien supergrote douches, acht ligbaden met bubbels, een sauna waar we makkelijk met z'n allen in kunnen en tien blinkende wastafels met goudkleurige kranen.
'Kan ik een beetje tandpasta van je lenen?' vraagt Merel als we allebei voor een wastafel staan. 'Ik heb overal aan gedacht, behalve aan tandpasta.'
'Niet doen, hoor!' zegt Lyla. Ze komt aan de andere kant naast

mij staan en smakt een enorme toilettas op haar wastafel. 'Merel is een vuile bietser!'
Merel krijgt een kleur en ik geef haar mijn tube Elmex. Ze drukt snel een streepje pasta op haar borstel en begint te poetsen.
In de spiegel zie ik dat Lyla glimlacht. Het zal wel een grapje zijn. Lyla en Merel kennen elkaar al van andere audities, dan horen die grapjes er zeker bij.

De hele week zit propvol met lessen. Van negen uur 's ochtends tot vijf uur 's middags worden alle kandidaten klaargestoomd voor het artiestenvak.
Dit zijn een paar van de vakken: zangles, dansles, Loop- en beweegles, styling en mediatraining.
Tussen de middag en na vijven kunnen we eten, wandelen, pingpongen, tv-kijken, douchen, in een bubbelbad liggen en kletsen, heel veel kletsen.
De eerste les die Maikel krijgt is zangles. Hij doet het samen met Edwin en Carlo, omdat het mannen zijn en de zangleraar, Felix, gespecialiseerd is in mannenstemmen.
Ze beginnen met een paar ademhalingsoefeningen. Dat is een fluitje van een cent voor Maikel, want die heeft hij op stottertherapie al geleerd. Na de hijg- en pufoefeningen moeten ze toonladders zingen om te zien hoe groot hun stembereik is. Felix zit achter de piano en speelt de toonladders voor. Maikel, Edwin en Carlo staan ernaast en zingen ze een voor een na. Het is de bedoeling dat ze zo hoog en zo laag mogelijk komen. Degene die de meeste toonladders haalt, heeft het grootste bereik en maakt de beste kans om een goede zanger te worden.
Carlo valt als eerste af. Hij haalt veel toonladders, vooral de lage kan hij goed. Maar bij de hoge begint zijn stem over te slaan en moet hij stoppen.

Twee toonladders later valt Edwin af. Hij komt best hoog, maar ook zijn stem begint over te slaan.
Ondertussen gaat Maikel door. Telkens als Felix een toonladdertje hoger gaat, zingt Maikel hem na. Carlo, Edwin en ik zitten op een bankje en kijken vol bewondering naar Maikel, die steeds hoger en hoger gaat.
Als de tonen zó hoog worden dat ik pijn in mijn oren krijg, stopt Felix met spelen. 'Weet je zeker dat je nog nooit zangles hebt gehad?' vraagt hij aan Maikel.
Maikel schudt zijn hoofd. 'Nnnee, nnnooit!' zegt hij.
Felix schudt ook even zijn hoofd. Hij zegt niet of het goed of slecht is. Hij zegt alleen dat hij nog nooit zo'n bijzondere stem heeft gehoord.

Aan de andere lessen heeft Maikel niet zoveel. Dansen doet hij niet, omdat hij zich dan niet op het zingen kan concentreren. Loop- en beweegles vindt hij belachelijk. Aan zijn styling wil hij niets veranderen, en de mediatraining doe ik voor hem. De enige lessen die hij wel blijft volgen zijn de zanglessen bij Felix. Daar heeft hij plezier in, zegt hij, vooral omdat Carlo en Edwin ook meedoen. Na twee dagen begrijp ik pas waarom: het zijn Maikels eerste vrienden. Nog nooit heeft Maikel een vriend gehad, zelfs niet als kleuter, en nu heeft hij er opeens twee. Twee superleuke vrienden met wie hij uren kan zingen, praten en lol maken, zonder dat hij wordt uitgelachen of gepest.
Al snel komen Lyla en Merel er ook bij. Ze voelen zich niet zo thuis bij de oudere vrouwen, daarom komen ze maar bij ons. Zo ontstaat er een nieuw vriendengroepje, met mij als bonusvriendin erbij. Bijna alle vrije tijd die we hebben zijn we samen. We eten samen, we wandelen samen, we kijken tv samen, we pingpongen samen en op donderdagavond liggen we samen in

de bubbelbaden. Iedereen heeft een eigen bad, behalve Merel en Lyla, die zitten tegenover elkaar in een tweepersoonsbad. Van de directeur van de villa hebben de meiden en ik badpakken gekregen. De jongens dragen hun boxershorts.
'Had ik al gezegd dat ik jarig ben?' zegt Lyla.
'Wat?' reageert Merel verbaasd. 'Waarom zeg je dat nu pas?'
'Ik geloof er niets van,' zegt Carlo. 'Als je vandaag jarig zou zijn, zouden de mensen van *Superster* wel een feestje hebben georganiseerd.'
'Toch is het zo!' zegt Lyla. 'Vandaag ben ik officieel zeventien jaar geworden!'
'Waarom zei je zaterdag dan dat je zeventien was?' vraagt Carlo.
Lyla laat zich helemaal onder water zakken en komt na een halve minuut weer boven. 'Moet ik het bewijzen?' zegt ze. 'Willen jullie dat ik het bewijs?'
'Doe maar,' zegt Carlo.
'En als het waar is?' vraagt Lyla. 'Gaan we dan feestvieren?'
'Mijn best,' zegt Merel. 'Als je echt jarig bent gaan we feestvieren.'
Lyla klimt uit het bad en rent naar de slaapkamer. Een paar tellen later is ze terug en geeft ze haar paspoort aan Merel.
'Lyla Constanza Budding,' leest Merel hardop voor. 'Geboren op 27 april 1996 in New York. Wat een gekke pasfoto trouwens.'
Merel geeft het paspoort aan Carlo. Hij kijkt er kort naar en geeft het aan Edwin. Zo gaat het de kring rond, tot iedereen het heeft gezien en Lyla het terugbrengt naar de slaapkamer. 'Ik hoor niks!' roept ze. 'Ik ben jarig, dan moeten jullie zingen!'
Merel begint 'Lang zal ze leven' te zingen. We zingen allemaal mee, ook Carlo, die nog steeds niet gelooft dat ze jarig is.
Met een aanloop springt Lyla terug in haar bad. Het water plenst over de rand en de tegels worden drijfnat.
We zingen nog een paar verjaardagsliedjes. Daarna feliciteren

we Lyla. Vanuit ons bad, want niemand heeft zin om eruit te gaan.
Omdat er geen taart is haalt Lyla een fles wijn en een paar blikjes bier uit de huiskamer. Ze deelt de blikjes uit. Maikel, Merel en ik drinken niet mee. Alleen Edwin neemt een blikje bier en Carlo een bekertje wijn. De rest giet Lyla zelf naar binnen. Het gaat zo snel dat we de tel kwijtraken. Soms, als het heel warm is, drinkt mijn vader ook wel eens razendsnel een blikje bier leeg. Maar zo snel als Lyla heb ik hem nog nooit zien drinken.
Na een kwartier is alle drank op en begint Lyla joelend en lachend door de badkamer te rennen. Ik probeer niet naar haar te kijken, maar ik moet wel omdat ze bij iedereen in bad plonst, ook bij mij.
Gelukkig doet ze geen enge dingen. Wel geeft ze ons zoenen en zegt ze dat ze superstapeldol op ons is. Het langst zit ze bij Edwin in bad. Ze streelt zijn wangen en zijn neus, en zoent hem dan vol op zijn mond. Edwin schrikt zich rot. Hij duwt haar van zich af en stapt snel uit het water. Lyla giechelt als een klein meisje. Iedereen lacht met haar mee. Ik weet niet waarom. Misschien wel omdat het zo'n rare situatie is. Of omdat Lyla zo grappig is. Al vind ik die zoen met Edwin niet echt grappig.
Dan wordt het opeens heel stil en valt Lyla in slaap. Ze ligt languit in het bubbelbad van Edwin. Haar hoofd hangt achterover en haar lange, zwarte haren bungelen kletsnat over de rand.
'Zo kan ze niet blijven liggen,' zegt Carlo. 'Straks verdrinkt ze nog.'
Merel stapt uit bad en trekt een badjas aan. 'Passen jullie even op Lyla,' zegt ze, 'dan roep ik een paar vrouwen om haar naar bed te brengen.'
Als Merel weg is stappen wij ook uit onze badkuipen. Carlo droogt zich af en Maikel zet alle bubbelbaden uit. Ik ga naast

Lyla zitten en kijk naar haar gezicht. Ze ziet er verdrietig uit als ze slaapt.
Even later tillen Merel, Miranda en Lisa haar uit het water. Ik loop met ze mee naar de slaapkamer. Daar leggen ze Lyla op een vrij bed, trekken haar badpak uit en drogen haar van boven tot onder af.
'Nee, papa,' brabbelt Lyla warrig. 'Nee, nee, nee.'
'Tsjonge,' zegt Miranda, terwijl ze Lyla's nachtpon over haar hoofd trekt. 'Die meid is compleet de weg kwijt.'
Merel en Lisa wrijven haar lange haren droog. Daarna leggen ze Lyla op haar eigen bed. Als laatste trekt Merel het dekbed over haar heen en drukt een kus op haar voorhoofd. 'Welterusten, leugenaartje,' zegt ze.
Ik droog mijn haren af en wacht tot Miranda en Lisa weg zijn. Dan vraag ik aan Merel waarom ze Lyla een leugenaartje noemde.
'Omdat haar paspoort nep is,' zegt ze. 'Mijn vader werkt op Schiphol. Hij heeft mij alles geleerd over paspoorten, en dat van Lyla is honderd procent nep.'
Ik krab op mijn hoofd en vraag waarom ze dat niet meteen heeft gezegd.
'Omdat we vrienden zijn,' zegt ze, 'en vrienden verlinken elkaar niet.'

Poppenkast

De volgende morgen is er een belangrijke vergadering. We zitten met z'n allen in het klaslokaal van de mediatrainer. Lyla heeft een zonnebril op en zit half te pitten. Maikel en ik zitten achter haar. Gisteren, toen Lyla dronken door de badkamer rende, durfde hij niet naar haar te kijken. Maar vandaag kan hij zijn ogen weer niet van haar afhouden.

De producent staat voor de klas. Naast hem staat zijn assistente. Het is de vrouw met de koptelefoon. Ze heet Xandra. Dat staat op het naambordje op haar blouse.

'Vandaag is een bijzondere dag,' begint de producent. Zijn naam is Bram van Ginniken, maar iedereen noemt hem meneer. 'Vandaag gaan we iets doen wat andere talentenshows nog nooit hebben gedaan.'

Ik geef Maikel een por met mijn elleboog. Hij schrikt en kijkt kribbig opzij.

'Let je even op?' fluister ik. 'Naar Lyla kun je nog de hele dag kijken.'

Hij wil iets gemeens zeggen, maar hij houdt zich in.

'Vandaag krijgen jullie je bijnaam,' zegt de producent. 'De naam die jullie muziekcarrière een extra dimensie zal geven.'

Miranda steekt haar vinger op, alsof ze in een echte klas zit.

'Waar is dat voor nodig?' vraagt ze. 'Zijn onze eigen namen niet goed genoeg?'
De producent schiet in de lach. Het is zo'n stijf televisielachje, een lachje waarvan je meteen weet dat het niet echt is. 'Jullie eigen namen zijn prima,' zegt hij. 'Er komt alleen een extra naam bij. Een naam die de muziekstijl die jullie hebben gekozen versterkt.'
'Dat is heel normaal, hoor,' zegt Xandra. 'Er zijn veel beroemde artiesten met een bijnaam. Michael Jackson heette bijvoorbeeld de King of Pop, en Madonna is de Queen of Pop.'
'En Bruce Springsteen is The Boss!' roept Edwin.
'Heel goed,' zegt de producent. 'Begrijpen jullie nu wat ik bedoel?'
Iedereen knikt, behalve Lyla en Maikel. De eerste gaapt even, de tweede blijft maar staren en staren.
De producent loopt naar een flip-overbord en slaat het eerste vel om. Op het tweede vel staan de namen van de kandidaten en hun muziekstijlen.

Lyla Budding	*R&B/Pop*
Edwin Faber	*Pop*
Debbie Dekker	*Nederlandstalig*
Merel Jansen	*Lovesongs*
Barbara Laars	*Gospel*
Miranda Peer	*Musical*
Suzanne van Dijk	*Soul*
Carlo Vitali	*Opera*
Lisa de Vree	*Rock*
Maikel Westbroek	*Sixties*

Alle muziekstijlen kloppen, alleen die van Maikel niet. Hij fluistert iets in mijn oor en ik steek mijn hand op. 'Die sixties bij Maikel is fout!' roep ik.

‘O ja?’ vraagt de producent. ‘Zingt hij geen liedjes uit de sixties dan?’
‘Niet altijd,’ zeg ik. ‘Vorige week zong hij een liedje uit 1959, en zaterdag gaat hij een liedje uit 1984 zingen.’
‘Je hebt gelijk,’ zegt de producent. Hij pakt een zwarte stift en streept het woord ‘sixties’ door. ‘Wat zullen we dan doen? Oldies, of Heartbreakers?’
‘Doe maar Heartbreakers,’ zeg ik. ‘Dat past het beste bij hem.’
De producent schrijft het woord op het bord. Daarna begint hij boven aan de lijst met de bijnamen. Achter Lyla’s naam schrijft hij: Lady Lyla.
‘Wat vind je ervan, Lyla?’ vraagt hij.
‘Kan me niet schelen,’ zegt ze. ‘Zolang ik maar win, vind ik alles best.’
De volgende die zijn bijnaam krijgt is Edwin.
‘King of Swing?’ zegt hij. ‘Die naam bestaat toch al?’
‘Klopt,’ zegt Xandra. ‘Benny Goodman werd de King of Swing genoemd. Maar die is al 25 jaar dood, dus wordt het hoog tijd voor een nieuwe.’
‘Ik weet het niet, hoor,’ zegt Edwin. ‘Mijn liedjes swingen wel, maar ik ben nog maar een beginner. Dan kun je jezelf toch geen King noemen?’
‘Natuurlijk wel,’ zegt de producent, die de volgende bijnaam op het bord schrijft. ‘In de muziekwereld moet je brutaal zijn, anders val je niet op.’
Edwin wil nog iets zeggen, maar Debbie is al aan de beurt.
‘Polder Prinses!’ roept ze enthousiast. ‘Die is gaaf!’
Naast mij hoor ik Maikel grinniken. Hij vindt het een duffe naam, maar ik vind hem best goed. Debbie komt uit Almere en ze is een echt prinsesje.
Merels bijnaam wordt Love Bird. Die had ik zelf ook kunnen

verzinnen; haar voornaam is een vogel en ze zingt liefdesliedjes.
De producent schrijft snel de andere bijnamen op.

Barbara Laars – Gospel Girl
Miranda Peer – Broadway Babe
Suzanne van Dijk – Soul Sister
Carlo Vitali – Caruso Kid
Lisa de Vree – Rock Bitch
Maikel Westbroek – Lonely Boy

Er ontstaat een heftige discussie in de klas. Bijna iedereen heeft wel iets te zeggen over zijn of haar bijnaam.
'Broadway Babe is schunnig,' zegt Miranda. 'Ik ben geen sekssymbool.'
'Mijn naam is racistisch,' zegt Suzanne. 'Waarom moeten zwarte meisjes altijd sister heten?'
'En ik ben geen bitch!' snauwt Lisa.
Barbara vind haar naam wel oké, zegt ze, en Carlo heeft geen mening.
De enige die nog niets heeft gezegd is Maikel. Hij fluistert ook niets meer in mijn oor, dus zeg ik er zelf maar wat van: 'Mijn broer is geen Lonely Boy. Hij is wel eenzaam omdat hij gepest wordt en zo, maar niet altijd.'
'Ja, meneer de producent,' zegt Lyla opeens. Ze gaat rechtop zitten en zet haar zonnebril af. 'En wat gebeurt er als Maikel niet meer eenzaam is?'
Terwijl iedereen naar de producent kijkt, draait Lyla zich om en knipoogt naar Maikel. Hij krijgt een rooie kop en ik een misselijk gevoel in mijn buik.

In de lunchpauze loop ik naar buiten en bel mijn moeder. Ik vertel haar het hele verhaal over de bijnamen. Over Lyla's geheimzinnige knipoogje en wat er gisteravond in de badkamer gebeurde zeg ik niets.
'Bijnamen,' reageert mijn moeder lacherig, 'hoe verzin je het.'
Ik loop een rondje om de villa. De neuzen van mijn gymschoenen gaan glimmen van het natte gras. 'En Maikels bijnaam vind ik nog het stomst van allemaal, alsof hij elke dag eenzaam is.'
Mijn moeder zucht. 'Weet je waar dit op begint te lijken?' zegt ze. 'Een poppenkast. Het interesseert die tv-mensen geen bal wie er meedoen. Het enige wat ze willen is kijkcijfers scoren. Dáárom hebben ze die rare namen verzonnen. Omdat de kandidaten geen mensen meer zijn, maar poppetjes waarmee ze de show kunnen stelen. Net als in een échte poppenkast.'
Als ik langs de eetzaal loop zie ik Maikel aan de lange tafel zitten. Naast hem zitten Lyla en Edwin. Ze hebben een hoop lol, zo te zien. Zelfs Maikel lacht zoals hij nog nooit heeft gelachen.
'Ik maak me zorgen, mam,' zeg ik.
'Zorgen? Waarover maak je je zorgen?'
'Gewoon, het is zo... zo nieuw allemaal. Alsof we in een soort droom zitten, of een toneelstuk. Snap je?'
'Ik denk het wel, ja,' zegt mijn moeder. 'Die artiestenwereld is heel anders dan de gewone wereld. Daar wen je niet zomaar aan.'
Door het raam zie ik hoe Lyla een arm om Maikel heen slaat, en ineens begin ik te snikken. Ik kan er niets aan doen. Sinds dat gedoe voor ons huis heb ik het angstige gevoel dat we Maikel langzaam maar zeker kwijtraken. En dat gevoel komt er nu blijkbaar uit.
'Hé, Ilse!' hoor ik mijn moeder zeggen. 'Wat krijgen we nou?'
Ik loop gauw door en veeg mijn tranen weg. 'Niks,' zeg ik. 'Het is al over.'

Mijn moeder wacht tot ik mijn neus heb gesnoten en vraagt dan: 'Weet je zeker dat er niks aan de hand is?'
Die vraag zat eraan te komen. Mijn moeder heeft mij altijd door als ik iets verberg. Maar deze keer zeg ik: 'Nee mam, er is niks!'

De strijd begint

Het is zaterdagmiddag. De logeerweek in de Sterrenvilla is voorbij. Voor de laatste keer eten we samen. Daarna zoeven we in de Superlimo naar het theater, waar om acht uur de eerste afvalronde gaat beginnen.

Als we de straat van het theater in rijden, laat de chauffeur zijn raampje zakken en zegt: 'Moet je nou eens kijken!'

We staan allemaal op en turen nieuwsgierig door de voorruit van de auto naar een grote groep mensen die voor de ingang van het theater staat. De groep is veel groter dan de groep die zondag voor ons huis stond. En het wemelt van de tv-camera's en fotografen.

'Wauw hé!' zegt Debbie. 'Is dat allemaal voor ons?'

'Nee, voor Sinterklaas!' zegt Lyla. 'Die zit op de scooter achter ons!'

Voor het theater stappen we een voor een uit. Er flitsen fotocamera's en er wordt geklapt. Toch is het maar een slap applausje voor zo'n grote groep. En ik weet precies waarom. De mensen zijn hier niet voor Merel, Debbie of Carlo, ze zijn er maar voor één persoon: Maikel!

Dat blijkt wel als hij als laatste uit de limo stapt en er een oorverdovend geschreeuw losbarst. Weer zijn het alleen meisjes en

vrouwen die er staan. Ze gaan totaal uit hun dak en stormen op hem af.
Omdat hij nogal staat te treuzelen en de gillende meute steeds dichterbij komt, grijp ik zijn hand en sleur hem mee naar binnen.
In de hal van het theater komt Roos op ons af. Ze heeft een rode pukkel op haar neus en een oranje waterijsje in haar hand. 'Twee miljoen hits!' begint ze opgewonden. 'Maikels liedje heeft twee miljoen hits op YouTube! Hij staat in alle kranten en hij is in de hele wereld op tv geweest!'
'Ik weet het,' zeg ik. 'Simone heeft het mij aan de telefoon al verteld, en er stond ook een tv in de villa. Hoe kom je aan die pukkel trouwens?'
Roos bijt een stuk van haar ijsje af en zegt: 'O, gestoken door een bij.'
Mijn moeder zit in de vipruimte. Ze omhelst ons alsof we een jaar weg zijn geweest. Simone en haar moeder omhelzen ons ook. Mijn vader geeft ons alleen een hand en zegt dat ik er moe uitzie.
'Beste mensen!' roept de producent, die vlak na ons is binnengekomen. 'Zou ik even uw aandacht mogen?'
Iedereen houdt op met praten en gaat op de banken zitten. Ik kijk naar Merel, Edwin en Carlo. Ze zitten alle drie tussen hun ouders in. Lyla zit aan de andere overkant. Naast haar zit een vrouw met bruine zonnebankbenen en een gerimpeld gezicht. Ze lijkt op Lyla, maar dan honderd jaar ouder.
'Vanavond gaat het echte werk beginnen,' zegt de producent. 'De eerste van negen grote liveshows, waarbij telkens één kandidaat zal afvallen. Het belangrijkste verschil met de auditieronde is dat vanaf nu niet de jury, maar de kijkers thuis per sms bepalen wie er weg moet.'
'Wist je dat veel oudere mensen speciaal hiervoor een mobieltje

hebben gekocht?' fluistert Roos in mijn oor. 'Dat was laatst in het nieuws.' Ze heeft het waterijsje op en breekt het houten stokje in tweeën.
'O ja?' fluister ik terug. 'Waarvoor dan?'
'Voor Maikel natuurlijk,' zegt ze, 'omdat hij ouwe liedjes zingt. Liedjes uit hun jeugd, weet je wel. Daarom kopen ze massaal mobieltjes, zodat ze op hem kunnen stemmen.'
Xandra is ook binnengekomen en geeft de producent een vel papier.
'Hier is de optreedlijst,' vervolgt de producent. Hij steekt hem even in de lucht en leest hem dan snel door. 'Miranda Peer is als eerste aan de beurt, en Maikel Westbroek als laatste.'
'Wat een verrassing,' mompelt Roos, die de twee halve ijsstokjes in haar neusgaten heeft gestopt.

Als de producent weg is, neemt Xandra de eerste kandidaat mee om in de zaal te oefenen. Iedereen krijgt een kwartier. Maikel is de laatste die wordt meegenomen. Maar hij heeft geen zin, zegt hij. Hij kent zijn liedje al uit zijn hoofd, en hij vindt het belachelijk om voor een lege zaal te zingen. Aan de soundcheck doet hij wel mee, omdat het geluid straks perfect moet zijn.
Simone, Roos en ik gaan mee. We staan bij Xandra naast het podium en horen de geluidsman twee keer zeggen dat Maikel verder van de microfoon moet gaan staan.
'Hoe komt die jongen toch aan zo'n krachtige stem?' vraagt Xandra aan Roos. 'Heeft hij soms veel gehuild als baby?'
'Nee,' zegt Roos. 'Tot zijn vijfde heeft hij niets gezegd. Toen begon hij te stotteren en werd hij zo erg gepest dat hij niets meer dúrfde te zeggen.'
Ik zie dat Xandra de informatie op haar kladblok krabbelt. Roos heeft het ook gezien. Ze legt haar hand op Xandra's arm en zegt

heel vriendelijk: 'Als dit morgen in de krant staat, vouw ik je dubbel.'
Xandra grinnikt even, tot ze Roos aankijkt en haar gezicht spierwit wordt. 'Geen euh... geen probleem, hoor,' stamelt ze.
Roos knikt tevreden en geeft Xandra een schouderklopje. 'Mooi zo!' zegt ze. 'Maikel is een mafkees. Maar hij blijft wel mijn broer, begrijp je?'

Een halfuur voor de show gaan alle familieleden naar de zaal en blijven de kandidaten in de vipruimte achter. Roos gaat ook in de zaal zitten, omdat ze niet met haar pukkel op tv wil. Simone neemt haar plaats in. Eigenlijk mag alleen ik bij Maikel blijven, maar sinds het gezellige gesprekje tijdens de soundcheck vindt Xandra alles goed wat we haar vragen.
De show gaat net als vorige week, behalve dat er nu tien kandidaten zijn en de liedjes maximaal vijf minuten mogen duren.
Na zeven kandidaten moet Maikel naar de make-up. Hij heeft het plastic tasje met de zwarte kleren weer onder zijn arm.
Simone en ik zitten onderuitgezakt voor de tv. Merel en Edwin kijken ook mee. De andere kandidaten lopen nerveus door de gang.
'Is dat het meisje waar je het over had?' vraagt Simone aan mij.
Ze wijst naar de tv, waarop Lyla een flauw liedje van Beyoncé zingt.
'Ja, dat is ze,' zeg ik, 'Lyla Pudding.'
Simone kijkt mij verbaasd aan. 'Pudding? Heet ze echt zo?'
Merel en Edwin hebben het ook gehoord en schieten in de lach.
'Geen idee, Siem,' zeg ik. 'Haar paspoort schijnt nep te zijn, en alles wat ze tot nu toe heeft gezegd is volgens mij ook nep.'
'Haar achternaam is wel Budding,' zegt Merel. 'Dat heeft mijn vader op zijn werk opgezocht. Maar haar voornamen zijn Eliza-

beth Johanna Maria. En ze is ook niet in New York geboren, maar in Zwolle.'
Edwin lacht weer. 'Johanna Pudding uit Zwolle! Wat een giller!'
Simone en ik lachen ook. Merel kijkt ons serieus aan en zegt dat we het wel geheim moeten houden, anders krijgt ze gedonder met haar vader.
We beloven dat we niets zullen zeggen en kijken weer naar de tv. Lyla is klaar met zingen. Ze krijgt een spetterend applaus en de jury geeft haar het ene complimentje na het andere. Ik had gehoopt dat ze slecht zou zingen en als eerste zou worden weggestemd. Maar daar ziet het niet naar uit.
Als de negende kandidaat (Debbie) aan haar liedje begint, staan Maikel, Simone en ik al naast het podium. Deze keer presenteert Mandy de liveshow en doet Pepijn de interviewtjes. 'Je hebt de wereld wel flink op z'n kop gezet, Maikel,' zegt hij. 'Wat vind je daarvan?'
Maikel haalt zijn schouders op en zegt: 'Wwweet ik nnniet.'
Pepijn glimlacht. Ik weet dat hij Maikel niet uitlacht, maar ik vind het toch vervelend dat hij hem laat stotteren. Daarom beantwoord ik de volgende vragen en kan Maikel zich op zijn liedje concentreren.
Ook Debbie krijgt een spetterend applaus en complimentjes van de jury. Het is maar goed dat de kijkers straks moeten stemmen, want de jury vindt alle kandidaten even goed.
'En dan nu de laatste kandidaat van de avond,' zegt Mandy. 'De jongen die de harten van alle kijkers heeft gestolen: onze eigen Lonely Boy, MAIKEL WESTBROEK!'
Het publiek begint keihard te juichen. Maikel wrijft zijn haar plat en loopt met een strakke blik naar voren. Op de tv naast ons zien we dat hij voor de microfoon gaat staan. De muziek wordt meteen gestart en Maikel sluit zijn ogen. Met alle andere kandi-

daten heeft Mandy eerst een praatje gemaakt, maar dat wilde Maikel niet. Hij wil alleen maar zingen, meer niet.
Het liedje begint rustig. Maikel zingt zachtjes en kruipt in het gevoel van het nummer. Dan gaat hij steeds harder en harder zingen, tot hij het refrein er finaal uitknalt. '*I want to know what love is, I want you to show me...*'
De zaal ontploft weer, nog erger dan de eerste keer. Simone pakt mijn hand en ik voel de tranen over mijn wangen rollen. Dit is geen zingen meer. Dit is het eenzame hart van Maikel dat eindelijk openbarst en alle pijn van de afgelopen tien jaar eruit schreeuwt, zo hard en zo mooi dat iedereen in de zaal met natte ogen zit.

Een uur later zijn de sms'jes geteld. De kandidaten staan op het podium en Mandy noemt de namen op van de kandidaten die door zijn. Telkens als er een naam klinkt, springt diegene op van blijdschap en gaat bij Pepijn staan. Elke kandidaat krijgt een applaus, net als toen ze uit de limo stapten.
Uiteindelijk staan er nog twee kandidaten: Barbara en Lisa. De spanning is om te snijden. Simone en ik kijken naar de tv in de vipruimte. Ik hoop dat Barbara het haalt, want zij is veel aardiger dan Lisa.
Terwijl Mandy op haar briefje kijkt en de spanning nog groter wordt, laat de camera de acht kandidaten zien die al door zijn. Ze staan dicht bij elkaar en houden elkaars hand vast. Maikel staat tussen Lyla en Merel in. Ik weet niet wie er harder in zijn hand knijpt, maar ik word er niet goed van. Net als van het applaus dat Lisa krijgt als Mandy haar naam noemt.

Geheimen en leugens

'Waar zijn alle mensen?'
Ik sta naast mijn moeder voor het keukenraam. Het is zondagochtend. De straat is leeg. Geen gillende vrouwen, geen flitsende camera's, geen politieauto's. Alleen aan de overkant loopt een man met een hond voorbij.
'Die mogen hier niet meer komen,' zegt mijn moeder. 'Na het oproer van vorige week hebben boze buurtbewoners bij de burgermeester geklaagd en is er een samenscholingsverbod ingesteld voor ons huis.'
'Een samen-wat?' vraag ik.
'Een samenscholingsverbod. Als je Scrabble speelt krijg je er honderd punten voor. In ons geval betekent het dat er twee maanden geen groepjes mensen meer voor ons huis mogen staan.'
Ik loop naar het aanrecht en zet een ketel water op het fornuis. Roos komt ook de keuken binnen. De pukkel op haar neus is nog groter dan gisteren. Mijn moeder kijkt er even naar en zegt dat het een puistje is.
'Kan niet,' zegt Roos. 'Daar heb ik geen aanleg voor.'
'Je zit gewoon in de puberteit, Roos,' zegt mijn moeder. 'Dan hebben alle kinderen last van puistjes.'

'Het is geen puist!' zegt ze. 'En ik ben geen kind, ik ben een mens!'
'Weet je dat zeker?' vraagt mijn vader. Hij sloft de keuken binnen en gaat gapend aan tafel zitten.
De ketel begint te fluiten. Ik draai het gas uit, schenk de theepot vol en hang er twee zakjes in.
'Ja, dat weet ik zeker,' zegt Roos. 'Eigenlijk kan het niet als je ouders uit de middeleeuwen komen, maar het is toch waar.'
Mijn moeder en ik gaan ook aan tafel zitten. Ik heb de hete theepot in het midden gezet, samen met vijf schone glazen. Terwijl ik een glas thee voor mezelf inschenk, begint mijn mobieltje te jengelen. Omdat mijn handen vol zijn, pakt mijn moeder het mobieltje uit de zak van mijn badjas en drukt op de speakertoets.
'ILSE!' roept Simone opgewonden. 'BEN JE DAAR?'
Het mobieltje ligt op tafel en iedereen kan meeluisteren.
'JA, IK BEN ER!' roep ik terug. 'WAT IS ER GEBEURD?'
'JE MOET DE TV AANZETTEN!' tettert Simone. 'MAIKEL IS OP NEDERLAND 3 IN HET NIEUWS, EN OP BBC 2 EN DUITSLAND 1!'
Mijn vader draait zich om en zet de tv aan.
'Zie je het al?' vraagt Simone.
De tv floept aan en mijn vader zapt met de afstandsbediening langs de drie zenders die Simone heeft genoemd.
Ik pak mijn mobieltje en zet de speaker uit. 'Ja, ik zie het,' zeg ik. 'Maikel is overal op, ook op CNN.'
'O,' zegt Simone. 'Die zender hebben wij niet, geloof ik.'
Mijn vader zapt nog even door en we zien Maikel op nog meer zenders verschijnen. Via de tv-schotel in onze tuin kunnen we wel duizend zenders ontvangen. Het slaat nergens op, want de meeste kun je toch niet verstaan.

‘Kom dan bij ons kijken,’ zeg ik. ‘Dan kun je Maikel ook op Kazachstan-tv zien. Dat klinkt echt te gek.’
Simone lacht en zegt dat ze er over een kwartiertje is. We hangen op. Ik stop de telefoon in mijn badjas en neem een slokje thee.
‘Trek je broer even uit zijn nest,’ zegt mijn moeder tegen mij, ‘dan kan hij zien hoe beroemd hij is.’
‘Nee, laat hem maar liggen,’ zegt mijn vader. ‘Als hij wakker wordt komt hij vanzelf wel naar beneden.’
We zijn het er allemaal mee eens, maar Maikel komt niet naar beneden. Niet op zondag, en ook niet op maandag en dinsdag. Hij heeft zich weer opgesloten in zijn zolderkamer en komt er alleen uit om naar de wc te gaan en het dienblad met eten te pakken.
Op woensdagmiddag zeg ik tegen mijn moeder dat er iets niet klopt. We zitten aan de keukentafel. Simone en ik zijn net thuisgekomen en Roos plakt een roze pleister op haar neus.
‘Wat klopt er niet?’ vraagt Roos. ‘Je hart?’
‘Nee, Maikel,’ zeg ik. ‘Hij zit al vier dagen in zijn kamer en er klinkt geen muziek, dát klopt er niet.’
Mijn moeder trommelt met haar nagels op tafel. Ze ziet er bezorgd uit en bijt zacht op haar onderlip. ‘En er is nog iets,’ zegt ze. ‘Toen ik vannacht lag te lezen, hoorde ik hem van de trap lopen en even later naar buiten gaan.’
Roos gaat voor de spiegel staan. ‘Dat doet hij al drie nachten,’ zegt ze. ‘Overdag hoor ik hem zachtjes telefoneren en ’s nachts gaat hij er stiekem vandoor.’
Simone zucht. Ik had haar al verteld dat Maikel vaak zit te bellen en dat hij vannacht weg was, maar dit had ze niet verwacht.
‘Zou papa het al weten?’ vraag ik.
‘Wat denk je zelf?’ zegt Roos. ‘Als Maikel een scheet laat, staat pappie al klaar om hem op te snuiven. Denk je dan dat hij dit niet zou weten?’

Dat is waar. Het leven van mijn vader draait maar om één persoon en dat is Maikel. Mijn moeder, Roos en ik tellen niet echt mee. Hij zal wel van ons houden, maar hij laat het nooit blijken.
'Wedden dat die trut erachter zit?' zegt Roos. 'Hoe heet ze ook alweer?'
'Lyla?' vraagt Simone.
Roos drukt de pleister nog wat vaster. 'Die ja,' zegt ze. 'Lady Lyla. Met haar zit Maikel de hele dag te bellen en gaat hij 's nachts op stap.'
'Wie zegt dat?' zeg ik. 'Misschien gaat hij wel naar Merel of maakt hij een wandeling. Dat doet hij wel vaker, omdat hij meer van de nacht houdt dan van de dag.'
Roos schudt haar hoofd. 'Was het maar waar. Merel heeft wel een oogje op Maikel, maar ze is veel te verlegen om het te zeggen. Daarom kaapt die sloerie hem voor haar neus weg.'
'Hallo!' zegt mijn moeder streng. 'Zulke woorden wil ik hier niet horen!'
'Wat wil je dán horen?' vraag Roos.
'Gewoon de waarheid!' zegt mijn moeder. 'In normale woorden graag!'
Ze kibbelen nog even door. Als ze klaar zijn pakt Roos een appel van de fruitschaal en bijt er nijdig een hap uit.
'Ik kan het nog steeds niet geloven,' zegt Simone. 'Maikel krijgt stapels liefdesbrieven van leuke meisjes, en uitgerekend háár kiest hij uit.'
'Hij kiest háár niet uit,' zegt Roos, 'zij kiest hém uit. Dat is iets anders, als je begrijpt wat ik bedoel.'
We begrijpen heel goed wat ze bedoelt, al denk ik dat het niet alleen van Lyla's kant komt. Vanaf de eerste liveshow heeft Maikel naar Lyla gekeken, dus hij zal zelf ook wel iets met haar willen.

Wat mijn vader betreft heeft Roos wél gelijk. Hij weet precies wat Maikel uitspookt en dat hij al drie nachten op stap is. Maar omdat Maikel veel meer mag dan Roos en ik, zegt hij er niets van. Tot vrijdagnacht, als Maikel om halftwee de deur uit wil gaan en mijn vader opeens voor zijn neus staat.
'Waar ben je mee bezig, jongen?' vraagt hij vriendelijk.
'Hhhoe be-be-bedoel je?' reageert Maikel geschrokken.
Mijn moeder, Roos en ik zitten boven aan de trap te luisteren.
'Ik weet dat je naar dat meisje gaat,' zegt mijn vader, 'en ik begrijp best waarom. Maar morgenavond moet je weer optreden. Zou het niet beter zijn als je vannacht thuis zou blijven?'
'Ik ggga he-he-helemaal nnniet nnnaar d-d-dat mmmeisje,' zegt Maikel onschuldig. 'Ik mmmaak ge-ge-gewoon een wwwandeling.'
Een paar tellen blijft het stil. Ik verwacht dat mijn vader woest zal worden omdat Maikel voor het eerst in zijn leven tegen hem liegt. Maar dat gebeurt niet. Hij zegt geen woord meer en laat Maikel naar buiten gaan.
'Wat een zak,' fluistert Roos.
'Je vader is geen zak,' fluistert mijn moeder.
'Ik heb het niet over papa,' zegt Roos, 'ik heb het over Maikel.'
'Ja,' fluister ik als mijn vader naar de keuken sloft en een blikje bier uit de koelkast pakt. 'Maikel is een zak, papa is gewoon verdrietig.'
En dat is hij ook. De hele nacht en de volgende dag. Daarom gaat hij 's avonds niet met ons mee naar de tweede ronde.

Hartendief

Er hangt iets in de lucht, ik voel het. Het is net als een flinke onweersbui die je nog niet kunt zien, maar waarvan je weet dat hij eraan komt. Het enige verschil tussen een onweersbui en wat ik voel, is dat een onweersbui niet erg is en dit wel. Dit is iets verschrikkelijks. Een nachtmerrie waar ik al meer dan een week niet van kan slapen en die elk moment kan uitkomen.
De avond begint zoals alle andere avonden. Alle kandidaten en hun families zitten in de vipruimte. Ze eten broodjes en kletsen met elkaar. Maikel zit bij zijn nieuwe vriendengroep. Hij zegt nog steeds niet veel, maar hij vindt het fijn om bij ze te zijn. Dat hij de meeste aandacht krijgt op tv en in de bladen, maakt niets uit. Iedereen weet dat hij de beste is, maar in de groep is hij gewoon Maikel. Behalve voor Lyla. Zij kwebbelt wel lekker mee en doet alsof ze niet jaloers is, maar dat is ze wel. Lyla is hier niet om een leuke tijd te hebben en vrienden te maken, Lyla is hier om te winnen. En om te winnen moet ze beter zingen dan Maikel. Of een andere manier vinden om hem te verslaan.
Roos, Simone en ik zitten ook bij de groep. Mijn moeder is thuisgebleven en kijkt samen met mijn vader en Simones moeder tv.
'Krijg ik hier een pukkel?' vraagt Roos aan mij. Ze legt het topje van haar wijsvinger op haar kin en kijkt naar boven.

'Ja,' zeg ik. 'Een kleintje, maar wel heel schattig.'
Ik krijg een stomp op mijn bovenarm en moet me inhouden om niet terug te meppen.
'Daar heb ik een perfect zalfje voor,' zegt Merel, die ons gesprekje heeft gehoord. 'Vroeger had ik ook pukkels. Maar sinds ik het zalfje gebruik heb ik er geen last meer van.'
'Wat voor zalfje is dat dan?' vraagt Roos vriendelijk. Ik zie dat ze er niets van gelooft. Maar ze wil niet onbeleefd zijn naar Maikels vrienden, dus gaat ze samen met Merel naar de wc om de wonderzalf te proberen.

Een uur voor de show gaan alle familieleden de zaal in. Alleen Simone en ik blijven achter. Roos mag ook blijven van Xandra. Eerst wil ze niet, omdat het zalfje van Merel nogal glimt. Pas als ze hoort dat er geen tv-camera's meer naast het podium staan, besluit ze toch te blijven.
Edwin is als eerste aan de beurt. Hij zingt een liedje van Robbie Williams en zet de zaal meteen op z'n kop. Vooral de meisjes zijn dol op hem. Ze weten dat hij homo is – dat stond in alle kranten – maar ze sturen hem toch stapels liefdesbrieven.
Na Edwin zijn Debbie, Miranda, Lisa en Carlo aan de beurt. Ze doen het best goed, vind ik, maar op de een of andere manier raken ze me niet zoals Maikel dat kan.
Als Carlo bezweet de vipruimte binnen komt, worden Lyla en Maikel door een make-upmeisje opgehaald. Simone en ik lopen achter hen aan. Ik wil Maikel geen seconde alleen laten, zeker niet als Lyla in de buurt is. Op de gang raakt ze even Maikels hand aan, zogenaamd per ongeluk. Maar aan haar gluiperige glimlach zie ik dat het helemaal niet per ongeluk ging.
Maikel gaat als eerste de make-upruimte binnen, gevolgd door Lyla en het meisje. Ik wil ook naar binnen lopen, maar word

door een ander meisje tegengehouden. 'Sorry, schat,' zegt ze, 'Vanaf vandaag mogen hier alleen artiesten komen.'
Vlak voordat de deur dichtgaat zie ik dat Lyla zich omdraait en haar tong naar mij uitsteekt. Simone heeft het ook gezien en pakt gauw mijn arm vast om te voorkomen dat ik Lyla in de haren vlieg.

De laatste vier kandidaten zijn Merel, Lyla, Maikel en Suzanne. Merel zingt 'Endlessly' van Duffy. Ik kijk naar de tv en vraag me af of zij echt een oogje op Maikel heeft, zoals Roos gisteren zei. In de villa heeft ze er niets van laten blijken, en daarna ook niet. Ze is wel aardig voor Maikel, maar dat is iedereen. Toch blijft de gedachte door mijn hoofd spoken. Ik denk dat het komt omdat Roos zo vaak gelijk heeft. Op school doet ze alsof ze dom is, maar dat is ze niet. Roos is superslim en weet alles van mensen. Daarom zou het best eens waar kunnen zijn. Ik hoop het tenminste, want Merel zou veel beter bij Maikel passen dan Lyla.
Vanavond zingt ze 'Bad romance' van Lady Gaga. Ze staat zich vreselijk aan te stellen, alsof ze een wereldster is. Maar ik ben blijkbaar de enige die het ziet. Het publiek vindt het geweldig. De mensen joelen en klappen zich suf, alsof ze speciaal hiervoor zijn ingehuurd.
'Hhhoe zzzit mmm'n hhhaar?' vraagt Maikel. 'Zzzit a-a-alles p-p-plat?'
We staan met z'n vieren naast het podium. Mandy staat er ook bij, maar ze stelt Maikel geen vragen meer.
'Ja, alles zit plat,' zegt Roos.
Lyla krijgt een groot applaus en de jury zegt dat ze steeds beter en beter wordt. Op de tv naast ons zie ik dat ze bijna staat te janken. Roos ziet het ook en schudt naar hoofd. 'Die is niet goed

snik,' zegt ze. 'Nog even en ze kunnen haar in een gesticht opsluiten.'
Maikel heeft het ook gehoord. Ik verwacht dat hij boos zal worden, maar hij reageert niet eens. Hij kijkt alleen naar Lyla, die een paar handkusjes de zaal in blaast en van het podium loopt. Weer raakt ze Maikels hand aan en kijken ze naar elkaar. 'Succes hè!' zegt ze tegen hem.
Maikel begint te blozen. Gelukkig loopt Lyla snel door en kan hij zich nog even op zijn liedje concentreren. Een uur voor de show heeft hij een nieuw liedje gekozen, dus zeggen we niets meer.
Pepijn staat op het podium en kletst de tijd lekker vol. Na drie minuten kondigt hij Maikel aan. Het publiek begint hard te klappen en te fluiten.
Maikel zucht en loopt het podium op. Roos, Simone en ik volgen hem op de tv. Met een wazige blik gaat hij voor de microfoon staan en wacht op de muziek. Het duurt iets langer, omdat het publiek zo veel lawaai maakt. Als ze eindelijk stil zijn, wordt de band gestart en doet Maikel zijn ogen dicht.
Al na de eerste regels van het nummer 'Something's gotten hold of my heart' begrijp ik waarom hij op het laatste moment hiervoor heeft gekozen. Het gaat namelijk niet meer over zijn pijn en verdriet, maar over een meisje dat het hart van een jongen heeft geraakt en zijn hele leven verandert. Zo gek heeft Lyla hem dus al gemaakt, dat hij zelfs over haar gaat zingen.
Ik voel Simones hand op mijn schouder. Ze geeft me een zakdoekje en fluistert in mijn oor dat ze weet hoe het zit.

Na het liedje van Suzanne worden alle sms'jes geteld en noemt Pepijn de namen op van de kandidaten die door zijn. Natuurlijk zit Maikel erbij, net als Merel en Lyla. Debbie krijgt de minste sms'jes en moet naar huis.

‘Jammer,’ zeg ik tegen Simone, ‘weer een leuke kandidaat weg.’
We staan in de hal van het theater en zwaaien naar Debbie, die met de Superlimo naar huis wordt gebracht.
‘Tja,’ zegt ze. ‘Maar Maikel zit er nog in, dat is het goede nieuws.’
‘Het is maar hoe je het bekijkt,’ zegt Roos. Ze staat achter ons en wijst met haar duim naar een donker hoekje bij de kapstokken.
Simone en ik kijken naar rechts en zien Maikel en Lyla staan. Ze hebben hun armen om elkaar heen geslagen en zoenen er flink op los.
In een flits schieten er allerlei gevoelens door me heen. Ik zou wel willen schreeuwen en tieren. Ik zou ze uit elkaar willen trekken en Lyla in duizend stukken scheuren. Maar ik weet dat het geen zin meer heeft. Het meisje dat zijn hart heeft geraakt, is er al mee vandoor.

Tortelduifjes

Mijn vader is nog steeds down. Al vijf dagen. Ik denk dat het een soort virus is, want we hebben er allemaal last van. Eerst zat iedereen in zijn eigen kamer te mokken: mijn vader aan zijn tekentafel, mijn moeder in bed, Roos voor de tv en ik onder mijn bureau. Maar daar zijn we na twee dagen mee gestopt. Als je down bent kun je dat beter samen doen, dat is veel leuker. Daarom liggen we weer op de tuinstoelen in de gang. Zonder de liedjes van Maikel deze keer, want die is met Lyla op stap. Vorige week zat hij overdag thuis en ging hij 's nachts naar haar toe, nu is hij de hele dag bij haar en komt hij alleen thuis om te slapen. Het enige lichtpuntje is dat hij er niet meer over liegt. Toch blijft mijn vader down. Omdat hij Maikel mist. En omdat hij zich zorgen maakt. Niet om de liedjeswedstrijd, maar om Maikel zelf. Dat heeft hij altijd gedaan en dat zal hij altijd blijven doen.
'Ik heb het!' zegt mijn moeder. Ze zit met een glas wijn op de rand van haar stoel. We proberen al dagen een oplossing te vinden voor ons probleem, en nu heeft ze hem te pakken. 'We moeten ze uitnodigen, Lyla en Maikel!'
Roos opent haar ogen en kijkt haar aan. 'Waarom?' vraagt ze. 'Om Lyla in het zwembad van meneer Visser te verzuipen?'

'Nee, om haar te leren kennen,' zegt mijn moeder. 'Jullie hebben zo veel slechte dingen over haar gezegd, maar wat weten jullie nou écht van haar?'
'Dat ze een vals paspoort heeft,' zeg ik, 'en dat ze Maikel heeft ingepikt.'
'Hoe weet je dat?' vraagt mijn vader. 'Maikel kijkt al vanaf de eerste dag naar Lyla. Misschien heeft hij háár wel ingepikt.'
'Of misschien hebben ze elkaar ingepikt,' zegt mijn moeder. 'Dat gebeurt ook vaak, dat twee mensen tegelijk verliefd worden op elkaar.'
Ik kijk naar Roos. We weten allebei dat het onzin is. Maar hoe het wel zit weten we ook niet. We dénken dat we het weten, maar denken is nog geen weten. En dan is het niet eerlijk om een conclusie te trekken. Je moet eerst zeker weten of iets waar is, dan kun je er pas iets van vinden.
'Goed,' zeg ik, 'nodig ze maar uit. Dan kun je zelf zien dat het een trut is.'
Roos heeft er totaal geen zin in, zegt ze, maar er zit niets anders op. We kunnen onze ouders alleen maar overtuigen als ze Lyla zelf ontmoeten.

Op donderdagavond staan ze keurig met z'n tweetjes op de stoep. Precies om acht uur, zoals we hebben afgesproken. Mijn moeder doet open. Maikel had ook gewoon binnen kunnen komen, maar hij vindt het beter om aan te bellen. Dat schijnt zo te horen als je je vriendin aan je ouders komt voorstellen.
'O, wat een prachtige bloemen!' jubelt mijn moeder.
Lyla heeft een bosje bloemen meegebracht, een goedkoop flutbosje van de benzinepomp, maar mijn moeder doet alsof het de mooiste bloemen zijn die ze ooit heeft gezien.
'Nnnou, d-d-dit is Ly-Ly-Lyla,' stamelt Maikel. Hij is bloednerveus,

zie ik. Voor een zaal gillende mensen optreden vindt hij heel normaal, maar nu hij zijn meisje aan ons komt voorstellen poept hij zowat in zijn broek.
We geven Lyla allemaal een hand. Ik speel het spelletje ook maar mee, ondanks het feit dat ik haar al weken ken.
'Wat een gaaf huis hebben jullie,' zegt ze. 'Net zo'n filmsterrenhuis, zoals je wel eens op mtv ziet.'
'Dat heeft mijn man zelf ontworpen,' zegt mijn moeder, terwijl we naar de woonkamer lopen. 'Maar dat heeft Maikel je vast al verteld.'
In de woonkamer gaan Lyla en Maikel op de driezitsbank zitten. Maikel pakt vlug Lyla's hand vast, alsof hij bang is dat ze weg zal vliegen.
'Nee, dat heeft hij nog niet verteld,' antwoordt Lyla. 'Hij heeft nog bijna niets over jullie verteld.'
Nogal logisch, denk ik. Maikel stottert en Lyla kwekt de oren van je kop. Geen wonder dat hij nog niets over ons heeft verteld.
'Ik ben architect,' zegt mijn vader. 'Maar geen beroemde, hoor. Gewoon een huis-tuin-en-keukenarchitect.'
'Doe niet zo stom, pap,' zeg ik. 'Je bent best beroemd. Overal in het land staan gebouwen die je hebt ontworpen. In Amsterdam, in Rotterdam, in Utrecht, en binnenkort ook eentje in Zwolle. Ben je daar al eens geweest, Lyla?'
'Natuurlijk,' antwoordt ze. 'Daar ben ik geboren.'
Mijn vader kijkt mij stomverbaasd aan. Hij wil net zeggen dat hij helemaal geen gebouw in Zwolle heeft ontworpen, maar daar krijgt hij geen tijd voor.
'O ja?' zeg ik. 'Je komt toch uit New York? Dat staat in je paspoort.'
Lyla begint te lachen. Maikel lacht met haar mee. Dat doen alle jongens als ze verliefd zijn, volgens mij.

'Dacht je dat dat paspoort echt was?' zegt Lyla. 'Dat ding heb ik gewoon in een feestwinkel laten maken om jullie voor de gek te houden.'
Mijn vader heeft eindelijk door waar ik mee bezig ben. Het verhaal van Lyla's paspoort heb ik hem gisteren verteld, daarom houdt hij zijn mond.
'Dus je was niet jarig in de villa,' zeg ik.
'Welnee,' zegt Lyla. 'Ik had gewoon zin in een feestje.'
Over het feestje heb ik mijn ouders ook iets verteld. Maar niet dat Lyla te veel bier had gedronken en bij iedereen in bad sprong.
'En je leeftijd, klopt die wel?' vraag ik.
'Ja, die klopt,' zegt Lyla. 'Ik ben zeventien. Op 12 januari ben ik jarig. Moet ik het bewijzen?'
Ze wil haar portemonnee uit haar tas pakken, maar mijn moeder zegt dat dat niet nodig is. 'Dit is geen kruisverhoor,' zegt ze, 'dit is een visite, en op visite moet je over leuke dingen praten.'
'En een gebakje eten,' zeg ik, 'dat hoort ook bij visite.'
'Ja ja,' reageert mijn moeder geïrriteerd. 'Ik kan niet alles tegelijk.'
Ze staat op en loopt met de bloemen naar de keuken. Even later komt ze terug met een dienblad met zes glazen thee en zes slagroompunten erop.
Iedereen pakt een glas thee en een slagroompunt. We beginnen te eten en de gespannen sfeer klaart langzaam op. Mijn vader vertelt nog iets over zijn werk, mijn moeder zegt dat ze boeken vertaalt en daarna is Lyla aan de beurt. Als een waterval begint ze haar hele levensverhaal over ons uit te storten: dat haar ouders op haar vijfde zijn gescheiden, dat haar vader een restaurant in Spanje heeft, dat hij een van de beste koks van Europa is, dat ze elke zomervakantie twee weken bij hem mag logeren, maar dat

ze toch blij is dat ze bij haar moeder woont. Zo ratelt ze maar door. Ze vertelt ons zo veel nieuwe dingen dat ik er duizelig van word.
'O, en mijn moeder was vroeger ook zangeres,' zegt ze als laatste. 'Niet in haar eentje, zoals ik, maar in een band.'
'Welke band?' vraagt mijn vader. Hij heeft al een hele tijd niets gezegd, maar nu het over muziek gaat doet hij opeens weer mee.
'Topaas,' zegt Lyla, 'met twee a's. Ze speelden meestal rocknummers. Geen heavy metal of zo. Daar kun je niet echt bij zingen trouwens, alleen maar brullen en grommen.'

Om tien voor tien valt het gesprek stil. Lyla heeft alles gezegd wat ze wilde zeggen, en mijn ouders weten ook niets meer. Roos en ik hebben er voor spek en bonen bij gezeten. Wat Maikel heeft gedaan weet ik niet. Maar aan zijn stralende blik te zien heeft hij een leuke avond gehad.
Eerlijk gezegd vond ik het ook best leuk. Ik weet niet of Lyla de waarheid heeft verteld over haar ouders. Daarvoor vertrouw ik haar nog niet genoeg. Ze heeft in elk geval wel gezegd dat haar paspoort in de villa nep was. Dat had ik niet verwacht. En verder is ze best aardig, al heeft ze wel veel over zichzelf gepraat. Maar dat kan ook door de zenuwen komen.
In de gang nemen we afscheid van Lyla. Maikel zal haar op de fiets naar huis brengen. Daarna komt hij weer thuis om te slapen. Dat is zo ongeveer het enige wat hij nog thuis doet.
Als ze wegrijden zwaait Lyla naar ons. Ze zit schuin achter op Maikels fiets en heeft haar andere arm stevig om zijn middel geslagen. Mijn ouders zwaaien terug. Roos snuit haar neus en ik kijk naar mijn vader.
'Wat vind je van haar, pap?' vraag ik.
Hij steekt zijn handen diep in zijn broekzakken en blijft net zo

lang kijken tot de twee tortelduifjes de hoek om zijn. ‘Geen idee,’ zegt hij. ‘Maar Maikel ziet er gelukkig uit. En als Maikel gelukkig is, ben ik het ook.’

Onderduiken

De volgende morgen zitten Roos, mijn moeder en Simone al om acht uur in de keuken. Ik schrik me rot en vraag of er iets ergs is gebeurd.
'Nee,' zegt Simone. 'Geen ongeluk of zo, maar wel iets anders ergs.'
Ze zitten naast elkaar aan tafel. Roos zit in het midden en bedient haar laptop. Ik ga achter haar staan en zie op het scherm een foto van Maikel en Lyla. Ze lopen hand in hand in een park. Boven de foto staat de tekst: LADY LYLA en LONELY BOY betrapt!
'Wat is daar nou voor ergs aan?' vraag ik. 'We weten toch allang dat ze verkering hebben.'
'Daar gaat het niet om,' zegt Roos, die met de muis een paar pagina's verder klikt. 'Híér gaat het om.'
Ik steek mijn hoofd naar voren en kijk naar vijf kleine foto's van Maikel en Lyla. Op twee foto's zitten ze op een terrasje met twee glazen bier voor hun neus, op de derde foto staan ze te zoenen in een portiek en op de laatste twee foto's lopen ze een hotel binnen.
'O jee,' zeg ik. 'Daar komt gedonder van.'
Mijn moeder slaakt een diepe zucht en schudt haar hoofd. 'Dat

is nog zachtjes uitgedrukt,' zegt ze. 'Als je vader dit ziet, gaat hij uit z'n dak.'
'Hij hoeft het toch niet te weten,' zegt Roos. 'Papa weet zo veel dingen niet van ons.'
Weer schudt mijn moeder haar hoofd. 'Vergeet het maar, Roos. Je vader weet alles van ons.'
'Ook dat ik aan de pil ben?'
Ik kijk haar geschokt aan. 'Ben je aan de pil? Sinds wanneer?'
'Sinds nooit,' zegt Roos. 'Het was maar een grapje.'
Op de eerste verdieping horen we de slaapkamerdeur van mijn ouders opengaan. We verstijven van schrik.
'Wat moeten we nou doen?' fluister ik.
'Gewoon eerlijk zijn,' zegt mijn moeder, 'dat lijkt me het beste.'
De voetstappen van mijn vader klinken op de trap. Over een paar tellen is hij bij ons en breekt de hel los.
'Goedemorgen, papa!' zeg ik als hij de keuken binnen komt.
Hij blijft staan en kijkt mij wantrouwend aan. Ik kan mezelf wel voor m'n kop slaan. Nog voor we iets hebben gezegd, heb ik het al verknoeid door hem overdreven vrolijk te begroeten.
'Oké, slijmjurken,' zegt hij. 'Wat is er aan de hand?'
We kijken elkaar gespannen aan. Uiteindelijk is het mijn moeder die de laptop omdraait en zegt dat mijn vader moet gaan zitten.
'Ik hoef niet te zitten,' zegt hij kalm. 'Die rommel heb ik in bed al gelezen. Ik heb vier computers en ik ben niet achterlijk.'
Roos draait haar laptop weer terug. Mijn vader gaat voor het raam staan en zegt: 'Er staat een wit busje met donkere ramen aan de overkant. Daar zitten journalisten in die foto's van Maikel willen nemen.'
We kijken met z'n allen naar buiten en zien het busje staan. De ramen zijn zwart en op het dak staan twee kleine antennes.
'Voor het huis van Lyla staat ook zo'n busje,' vervolgt mijn vader.

'Dat hoorde ik net van Maikel. Hij heeft haar al een paar keer gebeld en vertelde me dat Lyla en haar moeder flink in paniek zijn.'
Ik kijk nog even naar de foto's op de laptop en vraag me af waarom mijn vader zo kalm blijft. Als ik hem was zou ik woest worden, omdat Maikel bier zit te drinken en met Lyla naar een hotel gaat. Maar hij wordt niet woest. Hij wordt niet eens kribbig. Hij blijft heel kalm en gaat aan tafel zitten.
'Luister goed,' zegt hij. 'Die kakkerlakken daarbuiten zullen niet weggaan zolang Maikel thuis is, en hetzelfde geldt voor Lyla. Daarom moeten we ze met een slim plannetje weglokken en Maikel en Lyla op een geheim adres onderbrengen.'
'Hoe wou je dat doen?' vraagt mijn moeder. 'Die gasten zijn niet gek.'
Nu wordt mijn vader wél kwaad. 'In de eerste plaats ga ík het niet doen, maar wíj!' antwoordt hij fel. 'En in de tweede plaats zijn die gasten wél gek! Dat zul je straks wel zien!'
Ik schenk gauw een kopje koffie voor mijn vader in. Hij gooit er drie suikerklontjes in en begint zijn plan uit te leggen. Het is een ingewikkeld plan, maar als het werkt zijn we voorlopig van die fotografen af.

Het plan bestaat uit vier delen:
Deel 1. Mijn vader en Maikel stappen samen in de auto. Maikel heeft een lege koffer bij zich en draagt een zonnebril. Daardoor denken de journalisten in het busje dat hij wil vluchten en rijden ze achter hem aan.
Deel 2. Bij het huis van Lyla stapt Lyla in de auto. Ook zij heeft een lege koffer bij zich en een zonnebril op. Ze rijden weg en worden nu door twee busjes gevolgd.
Deel 3. Voor een grote villa – waar de baas van mijn vader woont,

die op zakenreis is naar Zwitserland – stappen Maikel en Lyla uit. Ze gaan de villa binnen en doen de gordijnen dicht. Mijn vader rijdt weg en de journalisten blijven in hun busjes voor het huis staan, omdat ze denken dat Maikel en Lyla op een onderduikadres zitten.
Deel 4. Vijf minuten later verlaten Maikel en Lyla via de tuindeur de villa. In een steegje achter het huis staat Simones moeder in haar auto op ze te wachten. Maikel en Lyla stappen in en worden naar een steegje achter ons huis gebracht. Daar stappen ze uit en rennen door de tuin ons huis binnen.
Deel 5 (extra deel). Maikel en Lyla blijven in Maikels zolderkamertje. Ze mogen geen lawaai maken van mijn vader, en ook niet voor het gaan raam staan of een wandelingetje maken. Als je onderduikt moet je het wel goed doen, anders werkt het niet.

Na het avondeten staan mijn moeder en ik voor het keukenraam. Het is stil op straat. Op de laptop van Roos hebben we de ontsnappingsfoto's van Maikel en Lyla gezien. Ze staan in elke krant en zijn het nieuws van de dag. Ik denk dat het geheim niet lang zal duren, want die achterlijke journalisten kruipen zelfs door een wc-raampje om een spannende foto te scoren. Maar vannacht staan ze in ieder geval voor het verkeerde huis en slapen Maikel en Lyla veilig onder ons dak: Maikel op de bank in mijn vaders werkkamer en Lyla in Maikels bed.
'Hoe moet het nou verder?' vraag ik aan mijn moeder.
'Dat zien we wel, Ilse,' zegt ze. 'Laten we ons geen zorgen maken over de dag van morgen, vandaag hebben we al zorgen genoeg.'
Ik sla een slome mug plat op het raam en veeg hem er met een papieren zakdoekje af. 'En papa?' vraag ik. 'Gaat hij nog iets zeggen over de foto's van het terrasje en het hotel?'

Mijn moeder pakt het zakdoekje uit mijn hand en poetst het laatste vlekje van het raam. 'Zoals ik al zei,' zegt ze, 'laten we ons geen zorgen maken over de dag van morgen, vandaag hebben we al zorgen genoeg.'
Ja, denk ik, meer dan genoeg.

Het Elvis-effect

Voor de derde theaterronde moeten we dezelfde stunt uithalen als gisteren, maar dan andersom. Eerst zet Simones moeder Maikel en Lyla af in het steegje achter de villa van mijn vaders baas. Vervolgens gaan ze door de tuindeur naar binnen en komen via de voordeur weer naar buiten. Daar zit mijn vader in zijn auto klaar om ze naar het theater te brengen. Roos en ik zitten ook in de auto. Als we wegrijden kijken we door de achterruit naar de witte busjes. Ik steek mijn tong uit en Roos steekt haar middelvinger op.
'Niet doen,' zeg ik. 'Wil je soms ook in de krant?'
'Zeker weten,' zegt ze, 'net als jij.'

Om de gillende fans bij de ingang te vermijden, gaan we via de achterdeur het theater binnen. Simone, onze moeders en Lyla's moeder staan ons al op te wachten. We begroeten elkaar en lopen naar de vipruimte. Er is nog bijna niemand. Alleen Miranda en haar vriend, en Merel met haar ouders.
'Hoe is het met je pukkel, Roos?' vraagt Merel als we bij haar zitten.
'Foetsie!' zegt Roos. 'Kijk maar!'
Merel bekijkt het gezicht van Roos. Met haar wijsvinger aait ze

een paar keer over plek waar de pukkel heeft gezeten en zegt dat het er goed uitziet.
'Die zalf van jou werkt perfect,' zegt Roos. 'Waar kun je dat spul kopen?'
Merel zet haar tas op schoot. 'In Israël,' zegt ze. 'Daar woont een tante van mij, die stuurt ons wel eens wat op.' Ze pakt een klein zalfpotje uit haar tas en geeft het aan Roos. 'Alsjeblieft, speciaal voor jou.'
Roos kijkt verrast naar het potje. 'Te gek!' zegt ze. 'Hoeveel kost het?' Ze pakt haar portemonnee, maar Merel schudt haar hoofd.
'Niks,' zegt ze. 'We hebben nog tien potjes thuis. En ik vind het fijn om cadeautjes te geven.'
'Geen sprake van,' houdt Roos vol. 'Je tante heeft voor dat spul betaald, dus betaal ik er ook voor.'
Merel trekt haar schouders op. 'Goed dan,' zegt ze. 'Tienduizend euro.'
Alsof ze niets heeft gehoord begint Roos haar geld te tellen. Na een paar seconden stopt ze ermee en kijkt Merel verbaasd aan.
'Hoeveel zei je?'
'Tienduizend euro,' zegt Merel, 'per pukkel.'
Roos fronst haar wenkbrauwen. Dan schiet Merel in de lach en begint ze zelf ook te lachen.
Intussen druppelen de andere kandidaten binnen. Ze gaan aan de lange tafel zitten en beginnen druk met elkaar te kletsen. Merel, Simone, Roos en ik gaan er bij zitten. Ik vraag aan Maikel en Lyla of ze er ook bij komen, maar Lyla zegt dat ze geen zin heeft. Of Maikel zin heeft weet ik niet. Hij zit als een suf hondje naast haar en zegt geen woord meer.
Een halfuur voor de show komen de producent en Xandra binnen. Onze ouders zitten al in de zaal. Roos en ik blijven bij Maikel. Simone mag ook blijven. Maar ze gaat toch naar

de zaal, omdat er een vreemde spanning in de vipruimte hangt. De producent houdt zijn bekende praatje en Xandra leest de optreedlijst voor. Maikel is als tweede aan de beurt, Merel als vijfde en Lyla als laatste. Ze hangt de lijst aan de muur en vraagt of er nog vragen zijn.
Roos steekt haar hand op. 'Heb jij ervoor gezorgd dat die gezellige foto's van Maikel en Lyla in de krant stonden?'
'Nee, dat heb ik niet!' zegt Xandra vinnig. 'Ik ben hier om jullie te helpen, niet om jullie kapot te maken!'
Dit is dus de vreemde spanning die Simone bedoelde, een spanning die er de hele avond al hangt en die alleen Roos durft uit te spreken. Natuurlijk gaat het allemaal om Maikel en Lyla die verkering hebben gekregen, en om die rotfoto's in de krant. Die hebben ervoor gezorgd dat de leuke stemming van de eerste drie ronden is veranderd. Niet tussen de andere kandidaten, maar tussen de andere kandidaten en het nieuwe showbizzkoppel. Omdat alle kranten sinds vrijdag vol staan met foto's van die twee, is er totaal geen aandacht meer voor de anderen, en dat vinden ze niet eerlijk.
Na een lange stilte staat Lyla op en zegt dat het haar spijt. 'Dat stomme gedoe met die foto's vinden wij ook niet leuk,' zegt ze. 'Maar ik kan er niets aan doen dat Maikel en ik verliefd zijn geworden. Die dingen gebeuren nou eenmaal. Dus laten we weer vrienden zijn, want zo wil ik niet verder.'
'Oké!' 'Prima!' 'Mij best!' klinkt het van alle kanten.
Ze trappen er allemaal in en geven Maikel en Lyla een knuffel. Iedereen is tevreden. De spanning is uit de lucht en er blinkt weer een glimlachje op Maikels gezicht.
Maar de pret duurt niet lang. Als hij even later op het podium staat, kijkt hij weer net zo suf als daarvoor en zingt hij het saaiste liedje dat je ooit hebt gehoord. En dat is nog niet alles;

het liedje is ook nog eens van Elvis. Op de tv naast mij kan ik mijn vader niet zien, maar ik weet zeker dat hij zwaar de pest in heeft.
'Tja, Maikel,' zegt Brandon als het liedje voorbij is. 'Ik weet niet goed wat ik hiermee aan moet. Ik bedoel, je zingt wel lekker, dat is het probleem niet. Maar er zit geen pit meer in.'
'Daar ben ik het volledig mee eens,' zegt Tracey. 'En het publiek ook, zo te horen. Tijdens je vorige optreden braken ze de zaal nog af. Nu heb ik het gevoel dat ik bij een begrafenis zit.'
Maikel staart naar de grond. Hij weet dat hij een flutliedje heeft gekozen en slecht heeft gezongen. Van schaamte zou hij het liefst van het podium rennen. Maar hij is zo bang dat hij stokstijf blijft staan.
'En je staat er ook weer als een zoutzak bij,' zegt Alicia. 'Als je nou een beetje had bewogen en wat meer gevoel in het liedje had gelegd, dan was het een stuk beter gegaan. Maar op deze manier wordt het niks. Wat vind jij ervan, Peter?'
Ze kijkt naar Peter, die er opvallend vrolijk uitziet. 'Het zal jullie misschien verbazen,' zegt hij, 'maar ik vond het wél een goed optreden. Het nummer 'Can't help falling in love' van Elvis kun je namelijk alleen maar zingen als je hopeloos verliefd bent. En dat ben je, dat is wel duidelijk.'
Er komt een voorzichtig applausje uit de zaal. Ik kijk naar de tv en zie dat alleen de oudere mensen klappen.
'Dat het je zoveelste imitatie is,' vervolgt Peter, 'vind ik deze keer niet zo erg. Ik ben een enorme Elvis-fan en ik heb al honderden imitaties gehoord, maar nog nooit zo knap als deze. Je hebt me echt geraakt, Maikel. Wat mij betreft ben je door naar de volgende ronde.'
Weer is er applaus, nu iets harder en langer dan de vorige keer.
'Maar je moet wel oppassen voor het Elvis-effect,' zegt Alicia.

'Het Elvis-effect?' reageert Brandon lacherig. 'Is dat een ziekte of zo?'
Op het podium kijkt Maikel weer voor zich uit. De camera heeft het nog niet gezien, maar Roos en ik wel.
'Het Elvis-effect,' zegt Alicia, die zich niets aantrekt van Brandons flauwe opmerking, 'is een bekend fenomeen dat veel jonge artiesten overkomt als ze een vaste relatie krijgen. Het heet het Elvis-effect, omdat hij een van de eerste artiesten was die ermee te maken kreeg. In het kort komt het hierop neer: Toen Elvis nog vrijgezel was had hij miljoenen fans, vooral vrouwen en jonge meisjes. Maar toen hij in 1967 met Priscilla trouwde, haakten veel vrouwelijke fans af omdat hij niet meer beschikbaar was. Zoiets overkwam ook Justin Bieber toen hij een meisje kreeg, en daar heb jij nu ook last van.'
Maikel knikt en glimlacht even. Hij weet dat Alicia gelijk heeft, maar hij zit in de val. Hij is tot over zijn oren verliefd en hij kan niet meer terug.

Tijdens het opnoemen van de namen die de vierde ronde hebben gehaald, staan Roos en ik vlak bij de kandidaten die al door zijn. Alleen Edwin, Lisa en Maikel staan nog naast Mandy en wachten gespannen op de uitslag.
Ik kijk naar Maikel en voel de zweetdruppels over mijn rug lopen. Mandy wacht heel lang met het noemen van de volgende naam. Dat hoort bij het programma, zeggen ze, maar ik word er knettergek van.
Dan noemt Mandy eindelijk Maikels naam en barst er een groot applaus los. Ik kan wel dansen van geluk. Maar Roos stoot mij aan en wijst naar Lyla. Ze staat achter Miranda en Carlo, en is de enige die niet klapt. Er kan zelfs geen glimlachje af, alsof ze het vreselijk vindt dat Maikel door is.

Het duurt even voordat ik besef wat ik heb gezien. Pas als de laatste naam is genoemd en Lisa naar huis moet, dringt het ineens tot mij door dat Lyla veel gevaarlijker is dan tien Elvis-effecten bij elkaar.

Ontploffingen

Om drie uur 's nachts schudt Roos mij wakker. 'Opstaan!' roept ze alsof het huis in de fik staat. 'Papa is aan het ontploffen!'
Met slaperige ogen kijk ik haar aan.
'Wat?' reageer ik verward. 'Wie gaat ontploffen?'
'Papa,' zegt ze. 'Luister maar.'
Roos duwt de deur wat verder open. Ik ga rechtop zitten en hoor iemand schreeuwen. Het is mijn vader. Hij bevindt zich in Maikels zolderkamer en brult zo hard dat ik ervan schrik.
'Jemig,' zeg ik. 'Hoe lang is dat al aan de gang?'
'Tien minuten ongeveer. Ik lag nog te lezen toen het begon.'
Samen luisteren we naar het geschreeuw, maar we kunnen er niet veel van verstaan. Het enige wat we horen is 'LEUGENAAR!' en 'HUICHELAAR!' De rest is één lange donderbui.
'Kom op,' zegt Roos. 'Laten we naar de gang gaan, daar kunnen we het beter volgen.'
Gapend trek ik mijn badjas aan en slof achter Roos aan de gang in. Voor de zoldertrap zie ik mijn moeder. Ze zit op een dik kussen. Links en rechts van haar liggen twee kleinere kussens, daar mogen wij op zitten. Voor Lyla is er geen kussen, omdat ze vannacht bij haar moeder slaapt.
'Waarom heb je eigenlijk tegen me gelogen?' vraagt mijn vader.

Hij klinkt nog steeds woest, maar hij schreeuwt iets minder hard. 'Ben ik zo'n slechte vader voor je geweest?'
Maikel zegt niets. Ik weet niet of hij bang is of boos. Volgens mij weet hij het zelf ook niet, want mijn vader is nog nooit kwaad op hem geweest.
'En die leuke foto's in de krant,' gaat mijn vader door, 'waar was dat voor nodig? Wilde je ons laten schikken met die biertjes en dat hotel? Nou, dan heb ik slecht nieuws voor je: het is niet gelukt. Als jij graag wilt zuipen, dan ga je maar zuipen. En als jij met die lellebel naar bed wilt, dan ga je je gang maar. Je bent een grote jongen, dus leef je uit. Ga lekker feesten, zuipen en vrijen, ik lig er niet wakker van.'
'Was het maar waar,' fluistert mijn moeder. 'Je vader kan al weken niet slapen. Hij ligt maar te piekeren en te piekeren over Maikel.'
Van de zenuwen begin ik op mijn nagels te bijten. Maar ik stop er gelijk weer mee, omdat Maikel eindelijk iets zegt: 'LY-LY-LYLA IS GGGEEN LE-LE-LELLEBEL!' schreeuwt hij. 'ZZZE IS EEN GE-GE-GEWOON MMMEISJE!'
'EEN GEWOON MEISJE?' schreeuwt mijn vader terug. 'DENK JE NOU ECHT DAT LYLA EEN GEWOON MEISJE IS?'
'JJJA!' brult Maikel nog harder, 'EEN HHHÉÉL GE-GE-GE-WOON MMMEISJE!'
Een paar tellen blijft het stil. Ik bijt een hoekje van mijn duimnagel af en mijn moeder friemelt nerveus aan haar sokken.
'Word toch eens wakker, jongen,' zegt mijn vader. 'Lyla is geen gewoon meisje. Als ze dat wel was geweest, had ze geen biertje voor je neus gezet en had ze je niet meegenomen naar dat hotel.'
'D-D-DAT HHHEEFT ZE O-O-OOK NNNIET GE-GE-GEDAAN!' schreeuwt Maikel.
'O, nee? Hoe komen ze dan aan die foto's?'
'Wwweet ik vvveel,' zegt Maikel wanhopig. 'D-d-dat b-biertje

wwwas een vvvergissing vvvan de o-o-ober. En d-d-dat ho-ho-hotel wwwas een gggrapje van Ly-Ly-Lyla.'
Weer is het stil. Mijn vader slaakt diepe een zucht, zo hard dat we hem beneden kunnen horen.
'Ach Maikel,' zegt hij zachtjes. 'Ben je zó gek op dat meisje dat je niet in de gaten hebt dat ze je belazert?'
'Hhhoezo be-belazert?' vraagt Maikel. Aan zijn stem hoor ik dat hij bijna huilt. Hij probeert zich in te houden, maar dat lukt niet zo goed.
'Heel eenvoudig,' zegt mijn vader. 'Toen jullie op dat terras gingen zitten, ging Lyla toen meteen naar de wc?'
'Jjja,' antwoordt Maikel.
'Dan heeft ze binnen twee biertjes besteld en tegen de ober gezegd dat hij moest doen alsof het een vergissing was.'
'Nnniet wwwaar.'
'En toen jullie langs dat hotel liepen en Lyla je even naar binnen trok, zei ze toen: 'Laten we lekker stout doen vandaag,' of iets dergelijks?'
'Nnnéé!'
'En die fotograaf van de krant, die was daar toevallig in de buurt?'
'HHHOU OP!'
Nu huilt Maikel wel. Hij weet dat het waar is wat mijn vader heeft gezegd, maar hij wil het niet geloven.
'Geef het nou maar toe,' zegt mijn vader. 'Die meid probeert je gewoon uit te schakelen. Ze weet dat jij de beste zanger bent en dat ze geen kans heeft om te winnen. Daarom heeft ze al die valse trucjes met je uitgehaald.'
'K-K-KAPPEN NNNOU, P-P-PAP!' smeekt Maikel.
'En die rockband Topaas, waar Lyla's moeder in zou hebben gezongen. Die band heeft nooit bestaan. Dat weet je zelf ook wel, want jij zoekt altijd alles op op internet.'

'Dat klopt,' fluistert Roos, 'ik heb het ook opgezocht.'
'Lyla's moeder is niet eens zangeres geweest,' zegt mijn vader. 'Ze werkt al twintig jaar bij de Hema, en Lyla's vader zit in de gevangenis. Kijk maar op de Facebookpagina van haar moeder, daar staat het allemaal op.'
'OKÉ!' schreeuwt Maikel. 'HHHET IS WWWAAR! LY-LY-LYLA IS NNNIET E-E-EERLIJK GE-GE-GEWEEST! MMMAAR IK HHHOU VVVAN HHHAAR!'
'Weet je het zeker?' vraagt mijn vader. 'Zou het ook kunnen dat je van haar houdt omdat ze het eerste meisje is dat aandacht voor je heeft? Dat is niet zo vreemd, hoor. Je bent verlegen, je hebt nog nooit een meisje gehad en Lyla ziet er prachtig uit. Dan zou ik misschien ook wel voor haar vallen.'
'Haal dat "misschien" er maar af,' zegt mijn moeder. 'Zo is jullie vader ook verliefd op mij geworden, omdat ik de enige was die hem zag staan.'
Roos en ik kijken haar aan. We weten niet wat we moeten zeggen. Hier hebben onze ouders het nog nooit over gehad. We weten sowieso niet veel over hun verleden, maar dat ze zo bij elkaar zijn gekomen hadden we nooit verwacht.
Ik leg een hand op mijn moeders knie. Roos doet hetzelfde en fluistert: 'Maar jij bent niet zoals Lyla, mam. Jij bent wél eerlijk en lief en alles.'
Mijn moeder dept haar ogen droog. Ze wil nog iets zeggen, maar opeens horen we een harde knal en kijken we geschrokken naar boven.
'Wat ga je doen?' vraagt mijn vader. 'Ga je weg?'
'JJJA, IK GGGA WWWEG!' schreeuwt Maikel. 'HHHEB JE NNNOU JE ZZZIN?'
Die knal was waarschijnlijk de deur van de kleerkast die tegen de muur vloog, want we horen Maikel in de kast rommelen.

Hij graait wat kleren bij elkaar en propt ze in zijn weekendtas.
'Doe geen domme dingen, Maikel!' zegt mijn vader. Maar het is al te laat. Maikel gooit nog wat spulletjes in de tas en ritst hem dicht. Dan trekt hij de deur van zijn slaapkamer open. Ondertussen maken wij dat we wegkomen en rennen de dichtstbijzijnde kamer in.
'De kussentjes!' zegt Roos. 'We zijn de kussentjes vergeten!'
Ik kijk om me heen en zie dat we in haar kamer staan. Het lampje boven haar bed brandt nog, en op het hoofdkussen ligt een boek van Harry Potter, in het Engels.
Maikel dendert de trap af. Onderaan stapt hij op een kussentje en glijdt bijna onderuit. Hij vloekt even en loopt dan de tweede trap af. Beneden rukt hij zijn jas van de kapstok, doet de voordeur open en verdwijnt in de nacht.

Een uur later bel ik hem op. Ik weet dat hij altijd zijn mobieltje bij zich heeft, en na de zesde zoemtoon neemt hij op.
'Waar zit je?' vraag ik.
Eerst hoor ik niets. Dan klinkt er een zucht en vertelt Maikel dat hij bij de producent zit. Hij durfde zo laat niet bij Lyla aan te bellen, dus is hij naar het huis van de producent gelopen. Die heeft hem in een muf logeerkamertje gestopt, waar hij op een luchtbed ligt dat steeds leegloopt.
'O,' zeg ik. Ik weet niet wat ik nog meer moet vragen, behalve of hij nog zin heeft om door te gaan met *Superster*.
'Wwweet ik nnniet,' antwoordt hij bedroefd. 'Wwwat vvvind jij?'
'Ik vind dat je door moet gaan, anders is alles voor niets geweest.'
Aan het kraken van het luchtbed hoor ik dat Maikel zich omdraait. 'Oké,' zegt hij. 'Ik hhheb toch nnniets a-a-anders te d-doen.'

Vallende ster

Met Maikel gaat het best goed. 's Nachts slaapt hij bij de producent – nu op een normale matras die niet leegloopt – en overdag is hij bij Lyla. Het is dik aan, zegt hij, en ze doen allerlei leuke dingen.
Met mijn vader gaat het niet zo goed. Sinds Maikel weg is heeft hij geen woord meer gezegd: niet aan het ontbijt, niet tussen de middag en ook niet tijdens het avondeten. We vragen hem van alles en nog wat, maar hij geeft geen antwoord. Volgens mijn moeder hoeven we ons geen zorgen om hem te maken. Maar ik maak me wél zorgen. Ik maak me zorgen om mijn vader en ik maak me zorgen om Maikel. Ik weet dat het geen zin heeft, maar het gebeurt gewoon. Misschien wel omdat ik niets anders te doen heb. Daarom gaat Maikel ook door met *Superster*. Het enige verschil is dat ik er niet mee voor schut sta en Maikel wel. Hij zingt namelijk nog steeds flutliedjes. Omdat hij stapelverliefd is zitten er alleen maar flutliedjes in zijn hoofd, en die zingt hij tijdens zijn optredens op tv. Zo zingt hij in de vierde ronde bijvoorbeeld 'Laughter in the rain' van Neil Sedaka. Dat is best een leuk liedje, maar niet voor Maikel. Maikel moet geen leuke liedjes zingen, dat past niet bij hem. Maikel moet treurige liedjes zingen. Liedjes over eenzaamheid en verdriet, niet over liefde en

geluk. Dat klinkt echt vreselijk. Dat vindt de jury ook, en de kijkers thuis, die hem als een baksteen laten vallen. Alleen de oude kijkers vinden hem nog steeds geweldig. Die stemmen massaal op hem. Daardoor zit hij er nog in. Maar dat kan niet lang meer duren, omdat er veel meer jonge mensen naar de show kijken, en die stemmen allemaal op de andere kandidaten. Zo zakt Maikel steeds verder weg. Ergens is het niet eerlijk, omdat hij zo zijn best doet. Maar hij schiet er niets mee op. Zijn liedjes blijven slap en sloom, en dan val je vanzelf af.
'Weet je waar dit op lijkt?' zegt Simone.
We zitten in de vipruimte. De vijfde ronde is net begonnen en Maikel en Lyla zijn naar de make-up gegaan.
'Een puinhoop,' zeg ik. 'Een dikke, vette puinhoop.'
Simone zuigt aan het rietje van haar blikje sinas en zet het op tafel. 'Nee, op een verhaal uit de Bijbel,' zegt ze. 'Het verhaal van Samson en Delilah.'
Ik pak het blikje van tafel en neem ook een slokje. 'Hoe gaat dat verhaal dan?' vraag ik. Eigenlijk heb ik geen zin om naar een verhaal te luisteren. Maar omdat Simone mij wil opvrolijken, laat ik het haar maar vertellen.
'Samson was een figuur uit het Oude Testament,' begint ze enthousiast. 'Hij was een held en heel sterk.'
'Net als Superman,' zeg ik.
'Ja, net als Superman,' zegt Simone. 'Maar dan zonder zweefpakje.'
We kijken elkaar aan. Ik wil niet glimlachen, maar het gebeurt toch.
'Maar goed,' vervolgt Simone, 'omdat Samson zo sterk was, stuurden de Filistijnen Delilah op hem af. Een mooi meisje dat Samson moest verleiden om achter het geheim van zijn superkracht te komen. Na een hoop gedoe lukt het Delilah om Samson

te verleiden en vertelt hij dat zijn kracht in zijn lange haar zit. Dus op een nacht, als Samson lekker ligt te snurken, knipt Delilah zijn haar af en nemen de Filistijnen hem gevangen.'
Simone stopt met vertellen. Ik wacht op de rest van het verhaal, maar er komt geen rest.
'Zie je de overeenkomst?' vraagt ze.
'Ja, ik denk het wel,' zeg ik. 'Maikel is een superzanger, maar doordat Lyla hem heeft verleid is hij zijn kracht kwijtgeraakt.'
'Precies!' zegt Simone.
'En wat heb ik daaraan?' vraag ik.
'Niks,' zegt ze. 'Ik wilde het gewoon vertellen, omdat het verhaal heel erg op de situatie van Maikel en Lyla lijkt. Zelfs Lyla's naam lijkt een beetje op die van Delilah. En Maikel heeft ook iets met zijn haar, net als Samson.'
Op de tv is de eerste kandidaat, Edwin, klaar met zingen. Hij zweet zich rot en krijgt veel complimentjes van de jury.
'Hoe loopt dat verhaal eigenlijk af?' vraag ik aan Simone.
'O, goed,' zegt ze. 'Na een paar jaar is Samsons haar weer aangegroeid en laat hij een tempel vol Filistijnen instorten, met zichzelf erin.'
We lopen de vipruimte uit en wachten in de gang op Maikel.
'Dus hij gaat dood,' zeg ik.
Simone knikt. 'Ja,' zegt ze, 'hartstikke dood.'
Ik kijk naar Maikel en Lyla, die gearmd uit de make-upruimte komen en elkaar een klef zoentje geven. 'Nou, bedankt voor het verhaal,' zeg ik tegen Simone. 'Daar ben ik echt van opgeknapt.'

Om halfnegen loopt Maikel het podium op. Simone en ik blijven bij Pepijn staan. Lyla zit in een kleedkamer te oefenen, en Roos zit al uren met Merel te kletsen over allerlei zalfjes die je op je neus kunt smeren.

Na een kort applausje begint Maikel te zingen. Het is weer een flutliedje, nog slapper en slomer dan het vorige. Ik kan het niet meer aanzien en loop stampvoetend het theater uit. Simone holt mij achterna.
'Het is afgelopen,' zeg ik als we samen op de stoep zitten. 'Maikel heeft zijn laatste liedje gezongen en Lyla krijgt haar zin.'
'Wedden van niet?' zegt Simone.
Ik pak een kiezelsteentje van de grond en smijt het tegen een auto.
'Om vijf paaseitjes, zeker,' mompel ik nors.
'Nee, om duizend paaseitjes!' zegt Simone.
Ze geeft me een por in m'n zij, maar ik reageer niet. Ik ben veel te boos en heb geen zin om te lachen.
Pas als Roos na de show naar buiten komt en ons enthousiast vertelt dat Carlo is uitgeschakeld, komt er een glimlachje tevoorschijn. Toch is het een beetje een raar lachje. Natuurlijk ben ik opgelucht dat Maikel nog meedoet. Maar waar haal je op 6 juni duizend paaseitjes vandaan?

De mestput

Op maandag staat Maikel weer in de krant. Op de voorpagina. Met een foto van hem en Lyla, en een lang verhaal erbij. Boven het verhaal staat de kop:

HET TRAGISCHE LEVEN VAN MAIKEL WESTBROEK

Ik vouw de krant open op de keukentafel en wil het verhaal voorlezen. Maar mijn vader grijpt de krant onder mijn handen vandaan en neemt hem mee naar de woonkamer. Daar gaat hij op zijn tv-stoel zitten, zet zijn leesbrilletje op en begint te lezen.
‘Ik heb hier geen goed gevoel over,’ zegt mijn moeder. ‘Zou Maikel soms een interview hebben gegeven?’
‘Nee, dat denk ik niet,’ zegt Roos. Ze heeft een doekje op tafel gelegd en lakt haar nagels. Het is de eerste keer dat Roos haar nagels lakt. Sinds ze met Merel omgaat is ze steeds meer met haar uiterlijk bezig. Haar huid ziet er gaaf en verzorgd uit, ze maakt zich elke dag op, haar pluizige haardos hangt in een strakke vlecht op haar rug en nu lakt ze haar nagels knalrood.
‘Hoezo niet?’ vraagt mijn moeder. ‘Het verhaal gaat over Maikels leven. Voor zover ik weet hebben wij geen interview gegeven, dus kunnen ze die informatie alleen van hemzelf hebben.’

Ik pak het potje nagellak. Het is een duur merk. Veel duurder dan de lak die ik bij de Etos koop.
'Afblijven!' commandeert Roos. 'Ik ben bezig!'
Ik zet het potje terug en Roos doopt het kwastje er weer in. Mijn moeder en ik kijken hoe ze aan haar vijfde nagel begint. Ze doet het heel geduldig en secuur, alsof ze met een schilderij bezig is.
'Heb je mijn vraag gehoord?' vraagt mijn moeder aan Roos. 'Of zit je met je hoofd in dromenland?'
'Ik heb hem gehoord,' zegt Roos, die zich niet laat afleiden. 'En ik heb al zo'n vermoeden waar dat verhaal vandaan komt.'
'Waar vandaan dan?' vraagt mijn moeder door. Ze is nerveus, net als ik. Niet om wat er in de krant staat, maar om wat er met Maikel gaat gebeuren als hij het leest.
Mijn vader komt de keuken binnen. Hij kwakt de krant op tafel en loopt weer weg. Even later horen we hem in de tuin het gras maaien. Hij gebruikt de handgrasmaaier, een oud roestig monster waar je lekker tegenaan kunt duwen als je kwaad bent.
'Wil jij het voorlezen of zal ik het doen?' vraag ik aan mijn moeder.
We kijken allebei naar de krant en dan naar elkaar.
'Doe jij het maar,' zegt ze. 'Jij hebt een betere stem.'
Ik heb helemaal geen betere stem, maar ik pak toch de krant en sla hem open. Roos stopt het kwastje in het potje. Alle nagels van haar rechterhand zijn gelakt. Ze blaast er zachtjes op en gaat dan rechtop zitten om naar het verhaal te luisteren.
Het begint bij Maikels geboorte en eindigt bij zijn laatste optreden op tv. Daartussen staan alleen maar slechte dingen: dat hij de eerste vijf jaar van zijn leven niets heeft gezegd, dat hij daarna begon te stotteren en werd gepest op school, dat hij al tien jaar eenzaam in zijn zolderkamertje woont en dat hij na een knallende ruzie met zijn vader van huis is weggelopen.

Roos blaast nog een keer op haar nagels. 'Is dat alles?' vraagt ze.
'Nee, er is nog meer,' zeg ik. 'Maar dat zijn allemaal leugens, dus die ga ik niet voorlezen.'
'Wat voor leugens?' vraagt mijn moeder ongerust. Ze wil de krant uit mijn hand graaien, maar ik trek hem net op tijd weg.
'Lees het nou maar voor,' zegt Roos, 'dan zijn we ervan af.'
Om te voorkomen dat mijn moeder weer naar de krant graait, ga ik een stoel verderop zitten en lees de dingen voor die ik eerst heb overgeslagen. Het zijn belachelijke dingen over drank en drugs, en dat Maikel twee keer zelfmoord wilde plegen omdat hij zogenaamd depressief is.
'Onzin!' zegt mijn moeder. 'Maikel is niet depressief! En drank en drugs heeft hij nog nooit aangeraakt!'
Roos pakt haar mobieltje van de tafel. 'Ik zal eens een belletje plegen,' zegt ze, 'dan zijn we er zo achter waar die bagger vandaan komt.'
'Doe dat maar boven,' zegt mijn moeder, 'anders wordt papa nog bozer.'

We lopen samen de trap op. Ik heb geen zin om bij mijn moeder te blijven, en ik wil weten wie Roos gaat bellen.
Als we boven in de donkere hal staan toetst ze een nummer in.
'Wie bel je?' vraag ik.
'Xandra,' zegt ze. 'Zij is de enige die ik wat over Maikels achtergrond heb verteld, dus haar moet ik als eerste hebben.'
Ik denk aan hun pittige gesprekje in het theater en druk mijn wang tegen haar hand, zodat ik goed kan meeluisteren.
Tijdens het gesprek blijft Roos heel kalm en vriendelijk. Ze vraagt Xandra of ze de krant heeft gelezen en of zij die beerput met leugens over Maikel heeft opengetrokken. Xandra blijft ook

heel kalm. Ze zegt dat de informatie niet van haar komt en dat ze al een uur bezig is om uit te zoeken waar het wél vandaan komt.
'Durf je dat te zweren?' vraagt Roos.
'Ja, dat durf ik te zweren,' antwoordt Xandra.
'Oké,' zegt Roos. 'Bel me als je wat weet.'
'Doe ik,' belooft Xandra.
Roos hangt op en zoekt een ander nummer.
'Dat was snel,' zeg ik. 'Geloof je zomaar wat ze zegt?'
'Ja,' zegt Roos. 'Xandra is doodsbang voor me. En ze is geen nepfiguur, zoals die andere gasten.'
Dat is waar, denk ik. Xandra is misschien de enige van al die tv-figuren die niet nep is. Ze is streng af en toe, maar ze is wel echt.
Roos heeft het nummer gevonden en toetst het in. Na twee zoemtonen wordt er opgenomen en zegt ze: 'Hoi, Merel. Met mij.'
Ze kwekken eerst wat over zalfjes en luchtjes, daarna begint Roos over het stuk in de krant. Ondertusen loop ik mijn vaders kamer binnen. Normaal is de deur altijd dicht, maar nu staat hij wijd open.
'Zou Lyla erachter zitten?' vraagt Roos.
Het is rommelig in de kamer. Overal liggen velletjes papier met mislukte schetsen van huizen en andere gebouwen. Op het bureau, de computer en de monitor ligt een dikke laag stof. Ik veeg langzaam met het topje van mijn wijsvinger over het bureau en blaas er een wolkje stof af.
Als ik terug naar de gang wil lopen, zie ik opeens het kastje met de foto erop. De planken zijn niet meer leeg. Op de bovenste plank staan twaalf dvd's. De eerste zes zijn van de auditie en de vijf liveshows van *Superster*. De laatste zes zijn tv-uitzendingen van *Boulevard*, *Shownieuws* en andere programma's die over Maikel gaan. Een plankje lager ligt een plakboek met foto's en krantenknipsels.

'Dat denk ik ook,' hoor ik Roos zeggen. 'Maar zolang ze nog met Maikel gaat kunnen we het haar niet vragen.'
Ik pak de foto van het kastje en kijk een tijdje naar de vreemde man. Hij heeft een lief gezicht, maar zijn ogen staan triest, alsof hij diep ongelukkig is. Zo zal Maikel er over twintig jaar ook uitzien, als hij bij Lyla blijft.
In de hal is Roos klaar met bellen. Ik zet de foto terug en veeg een traan van mijn wang. Met het mobieltje in haar hand komt Roos de kamer binnen.
'Moet je dit zien,' zeg ik, en ik wijs naar het kastje. 'Is dit niet raar?'
Roos stopt het mobieltje in haar broekzak. 'Nee, hoor,' zeg ze. 'Er zijn zo veel ouders van beroemde kinderen die dvd's en plakboeken maken.'
'En die foto?' vraag ik. 'Wie is die man op dic foto?'
'Dat is opa,' antwoordt Roos, 'de vader van papa.'
'Hoe weet je dat?' vraag ik verbaasd.
'Omdat er net zo'n foto in de slaapkamer van oma hangt.'
Ik kijk weer naar de foto. Nu begrijp ik waarom hij zoveel op Maikel lijkt.
'Maar wat heeft opa met *Superster* te maken?' vraag ik.
'Geen idee,' zegt Roos. 'Vraag dat maar een keer aan oma. Als papa het maar niet merkt, want hij en oma hebben niet bepaald een warme band.'

Laatste kans

Er stopt een zwarte auto voor ons huis. Het is vrijdagavond. We hebben net gegeten. Ik zit aan de keukentafel en speel een potje Scrabble met mijn moeder. Roos en mijn vader zitten in de woonkamer tv te kijken.
'Krijgen we visite?' vraag ik.
Mijn moeder zit naar haar letterplankje te turen. Meestal is zij de beste met Scrabble, omdat ze meer woorden kent. Maar ze heeft slechte letters, en dan heb je niets aan al die woorden.
'Wat zei je?' zegt ze.
Ik wijs naar buiten en zie de producent uit de auto stappen.
'O nee!' roept mijn moeder paniekerig. 'Er is iets met Maikel gebeurd!'
We staan tegelijk op. Mijn moeder rent naar de deur en ik zeg tegen mijn vader en Roos dat de producent op bezoek komt.
Ik blijf in de gang staan en luister naar het gesprekje tussen mijn moeder en de producent. Met Maikel gaat alles goed, zegt hij. Hij is met Lyla naar het theater om hun liedjes te oefenen. Dat mogen alle kandidaten vanaf nu.
Even later komt hij de woonkamer binnen. We geven hem allemaal een hand, mijn vader zet de tv uit en mijn moeder vraagt of hij koffie wil.

'Nee, dank u wel,' zegt hij. 'Ik heb weinig tijd.'
Iedereen gaat zitten. We zijn gespannen. Mijn moeder friemelt met haar vingers, mijn vader krabt steeds op zijn hoofd, ik schuif mijn handen onder mijn billen en de producent heeft al twee keer zijn keel geschraapt. Alleen Roos zit er relaxed bij, alsof ze allang weet waarom de producent hier is.
'Goed,' begint hij eindelijk, 'laat ik maar direct met de deur in huis vallen: we hebben een probleem.'
'Wé?' zegt mijn vader. Hij heeft twintig dagen bijna niets gezegd, maar nu moet hij wel.
'Ja, wé,' zegt de producent. 'Wé hebben een probleem.'
'Welk probleem dan?' vraag ik ongerust. 'Is er tóch iets met Maikel?'
De producent trekt zijn wenkbrauwen op. 'Het is maar hoe je het bekijkt. Op dit moment gaat alles goed met Maikel. Hij is blij, hij is gelukkig, hij is verliefd. Maar morgenavond niet meer, vrees ik.'
'Hoezo?' vraagt mijn moeder. 'Wat gaat er morgenavond dan gebeuren?'
'Kun je dat zelf niet bedenken?' zegt Roos. 'Morgenavond gaat Maikel zijn vierde slaapliedje zingen. Daarna wordt hij door de kijkers weggestemd en maakt Lyla de verkering uit.'
'En waarom is dat óns probleem?' vraagt mijn vader. 'Volgens mij bent u hier alleen maar omdat de kijkcijfers van uw showtje in elkaar storten. Wat er met Maikel gebeurt interesseert u geen donder.'
De producent laat zijn hoofd zakken. We horen hem zuchten. Dan gaat zijn hoofd weer omhoog en zegt hij: 'U hebt gelijk, meneer Westbroek. Het spijt me. Ik ben hier inderdaad omdat de kijkcijfers tegenvallen en alleen Maikel de show nog kan redden. Maar dat is niet de enige reden. Uw zoon woont al een paar

weken bij ons in huis. Hij eet vaak met ons mee en we hebben veel goede gesprekken met elkaar gehad. Ik weet wat er in hem omgaat, en ik maak me grote zorgen over wat er met hem zal gebeuren als hij wordt uitgeschakeld. Dat laat me niet koud, meneer Westbroek. Ik heb ook kinderen en ik ben geen monster. Ja, de kijkcijfers zijn belangrijk. Maar als het erop aankomt is uw zoon duizend keer belangrijker voor mij dan de kijkcijfers. Daarom hebben wé een probleem! Begrijpt u nu wat ik bedoel?'
Mijn vader krabt weer op zijn hoofd. Zo'n antwoord had hij niet verwacht. Van alle nepfiguren in *Superster* was de producent de grootste. Maar dat is hij dus niet. Hij is ook een gewoon mens, net als Xandra.
'Welk liedje gaat hij morgen zingen?' vraagt mijn vader.
'"Can you feel the love tonight" van Elton John,' zegt de producent.
Roos trekt een zuur gezicht. 'Toch niet dat zeurliedje uit *The Lion King*?'
'Ja, dat liedje,' zegt de producent.
'Dan vliegt hij er zéker uit,' zegt Roos. 'Als hij dat liedje heeft gezongen, ligt het hele land te pitten.'
Ik zou wel willen lachen om het grapje van Roos, maar er valt niet zoveel te lachen. Ik kan beter helpen een oplossing te zoeken voor het probleem. Daar zijn de anderen al druk mee bezig, zo te zien.
'Van Maikel heb ik gehoord dat u een uitgebreide muziekcollectie bezit,' zegt de producent tegen mijn vader. 'Zit daar misschien een liefdesliedje bij waar de mensen níét van in slaap vallen? Een vurig liedje met passie. Een liedje waarmee hij het publiek weer kan verpletteren, zoals in het begin.'
Mijn vader gaat achterover zitten en tuit zijn lippen. Hij doet

zijn best om een goed liedje te bedenken, maar het wil nog niet komen.
'Hij moet een vrouwenstem doen,' zeg ik. 'Dat verwacht niemand.'
'Een vrouwenstem?' vraagt de producent. 'Kan Maikel dat ook?'
'Zeker weten,' antwoordt Roos. 'Maikel kan alle stemmen doen die hij wil.'
'En welk liedje gaat hij dan zingen? Maikel kan wel een vrouwenstem doen, maar als het weer een flauw liedje wordt heeft het weinig zin.'
'Ik denk dat ik het al weet,' zegt mijn vader. 'Er zijn veel vrouwenliedjes die heel mooi en ontroerend zijn, maar er is één liedje waarmee hij de zaal écht op z'n kop kan zetten.'

En dát liedje gaat Maikel zingen. We moeten wel een paar uur aan zijn kop zeuren om hem zover te krijgen, maar uiteindelijk besluit hij het te doen. Hij weet ook wel dat het liedje uit *The Lion King* geen klapper is, en dat hij de volgende ronde waarschijnlijk niet zal halen. Vandaar dat hij toch maar voor het nieuwe liedje kiest. Het liedje dat mijn vader voor hem heeft uitgezocht en waar Lyla niets van weet.
De volgorde van optreden is perfect. De avond begint met Edwin, daarna komen Suzanne, Lyla, Merel en Maikel.
'We hebben eerlijk geloot,' zegt Xandra, die het lijstje aan de muur heeft gehangen. 'Dus als je als laatste aan de beurt bent, betekent dat niet dat je de beste bent.'
'Behalve vandaag!' zegt Roos hardop.
Iedereen kijkt haar aan. Sommigen schudden hun hoofd, anderen lachen een beetje, omdat ze denken dat Maikel toch wordt uitgeschakeld.
'Doe dat nou niet,' fluister ik. 'Straks gaan ze het nog geloven.'

'Welnee,' zegt Roos. 'Die zijn veel te druk met hun eigen wonderkindjes.'
De kantinemeisjes komen binnen en zetten vier schalen met broodjes en een bak rauwkost op tafel. Simone, Merel, Roos en ik schuiven aan. De anderen hebben geen trek.
'Wat neem je weinig,' zeg ik tegen Roos. 'Ben je ziek of zo?'
Op haar bord liggen twee halve tomaten, een paar schijfjes komkommer en een plukje sla. Een lekker maaltje voor een konijn, maar niet voor Roos.
'Nee, ik ben niet ziek,' zegt ze. 'Hoezo?'
Met verbazing zie ik hoe ze een schijfje komkommer aan haar vork prikt en in haar mond stopt. Even denk ik dat ze gek is geworden. Pas als ik zie dat Merel hetzelfde heeft opgeschept, snap ik wat er aan de hand is: Roos wil er net zo uitzien als zij. Dezelfde zalfjes, dezelfde make-up, hetzelfde haar en hetzelfde figuur. Of ze dat laatste ook gaat halen weet ik niet, want Merel is zo slank als een den. Maar ik vind het knap dat ze het probeert.

De avond wordt een gekkenhuis. Edwin, Suzanne, Lyla en Merel zingen de pannen van het dak. Het publiek is razend enthousiast en de jury heeft nog nooit zo veel complimentjes gegeven. Dan wordt het ineens stil. Pepijn staat op het podium en begint de laatste kandidaat aan te kondigen. Iedereen weet wie het is, iedereen weet wat er gaat komen.
Maikel en ik staan naast het podium. Ik pak zijn hand vast. Zijn gezicht ziet er nog kalm uit, maar aan zijn ogen zie ik dat hij nerveus is.
'Zzzit mmm'n hhhaar gggoed?' vraagt hij zachtjes.
Ik wrijf een sprietje op zijn hoofd plat en zeg dat het heel goed zit. Mandy staat achter ons en leeft met ons mee.
Pepijn is klaar met zijn aankondiging. 'GEEF HEM DAAROM

EEN DAVEREND APPLAUS,' roept hij overdreven hard. 'HIER IS MAIKEL WESTBROEK!'
Het publiek klapt en Maikel loopt het podium op. Voor de microfoon sluit hij langzaam zijn ogen. De muziek wordt gestart: geen sloom deuntje meer, maar de swingende beat van 'River deep, mountain high', waar ik kippenvel van krijg. Dan begint Maikel te zingen zoals hij nog nooit heeft gezongen. Meteen staan er mensen op die beginnen te juichen. Even later volgt de rest. Ze kunnen niet wachten tot hij klaar is, ze denken niet meer aan zijn vorige liedjes. Ze joelen gewoon dwars door het nummer heen, zodat Maikel nog harder moet zingen.

Terwijl ik glunderend van trots naar Maikel kijk, stromen de tranen over mijn wangen. Mandy is ook losgebroken. Ze slaat een arm om mij heen en zegt wel honderd keer: 'Wat is dit nou? Wat is dit nou?'
Dit is Maikel, denk ik. De échte Maikel. De Maikel die eindelijk doet waar hij goed in is en de zaal compleet verplettert.
Na het liedje houdt het applaus niet meer op. Ook de jury is opgestaan en kan niet stoppen met klappen.
Ik denk aan mijn vader in zijn stoel. Ik denk aan Roos, Simone en onze moeders in de zaal. En ik denk aan Lyla, die waarschijnlijk in de prullenbak is gekropen van jaloezie.
Helaas valt Suzanne na het tellen van de sms'jes af en zit Lyla nog in de race. Maar dat kan niet lang meer duren, want Maikel is helemaal terug!

Scherven

Als mijn moeder, Roos en ik om twaalf uur thuiskomen, komt mijn vader net naar buiten. Hij heeft zijn regenjas aan en een paraplu onder zijn arm.
'Waar ga je heen?' vraagt mijn moeder.
'Maikel zoeken,' antwoordt hij kortaf.
Ondanks de regen blijven we staan. Roos zet een wit petje op en ik trek de kraag van mijn jas over mijn hoofd.
'Hoezo?' reageert mijn moeder verbaasd. 'Maikel is toch in het theater?'
'Nee, dat is hij niet,' zegt mijn vader, die haastig naar zijn auto loopt.
Ongerust hollen we achter hem aan. Het regent niet meer zo hard en ik laat de jas van mijn hoofd glijden.
Vlak voordat mijn vader in zijn auto stapt, grijpt mijn moeder zijn arm vast en kijkt hem woest aan. 'Geef eens fatsoenlijk antwoord als ik je iets vraag! Je bent niet de enige hier in huis die van Maikel houdt!'
Roos en ik schrikken van mijn moeders plotselinge boosheid. Ik snap dat ze bezorgd is, maar dan hoef je toch niet zo boos te worden?
Mijn vader blijft staan. Hij legt een arm op het portier van zijn

auto en vertelt wat er is gebeurd. 'Bram van Ginniken, de producent, belde mij net om te vertellen dat Maikel is weggelopen. Hij zou ruzie hebben gehad met Lyla. Ik weet niet waarover, maar volgens Bram ging het er nogal heftig aan toe. Op een gegeven moment heeft ze hem een klap gegeven en is Maikel naar buiten gerend, zonder jas, zonder geld. Dat is alles wat we weten.'

'En nu?' vraagt mijn moeder. 'Wat gaat er nu gebeuren?'

'Nu gaan we hem zoeken,' zegt mijn vader. 'Bram zoekt de omgeving van het theater af, en ik ga in onze buurt zoeken. Als mevrouw Westbroek het goed vindt tenminste?'

Die laatste opmerking was zo cynisch als de pest. Ik verwacht dat mijn moeder uit haar vel zal springen, maar dat gebeurt niet. Ze kijkt nog even naar mijn vader, kort en kil. Dan draait ze zich om en loopt naar binnen.

'Mag ik mee?' vraagt Roos aan mijn vader. Hij zit in de auto en steekt de sleutel in het contact. 'Als we Lyla tegenkomen kan ik haar meteen grijpen.'

'Nee,' antwoordt mijn vader kortaf. 'Blijven jullie maar bij je moeder.'

Hij trekt het portier van de auto dicht en start de motor. Roos en ik gaan bij het hek staan en zien mijn vader hard de straat uit rijden. Wanneer de rode achterlichten om de hoek verdwijnen, lopen wij ook naar binnen.

Het is halftwee. Ik lig al bijna een uur in bed, maar ik kan niet slapen doordat er allerlei gedachten door mijn hoofd spoken. Gedachten over het prachtige liedje van Maikel, over de klap van Lyla, over mijn vader die nog steeds niet terug is en over de vreemde boosheid van mijn moeder. Tel al die dingen bij elkaar op en je begrijpt waarom ik al een uur lig te woelen.

Om kwart voor twee ben ik het zat. Ik stap uit bed en ga naar de wc. Het is pikdonker in de gang. Op de tast vind ik de wc-deur. Ik doe hem zachtjes open, loop naar binnen, laat m'n onderbroek zakken en ga zitten.
'HÉ, MAFKEES!' roept iemand. 'KUN JE NIET UITKIJKEN!'
Als een raket schiet ik de lucht in. Onderweg stoot ik met mijn elleboog een fotolijstje en de verjaardagskalender van de muur. Het fotolijstje klettert aan diggelen op de tegels. De scherven liggen overal.
Dan gaat opeens het licht aan. Ik knipper met mijn ogen en zie Roos in haar nachtpon op de bril zitten. 'Je hebt toch niet geplast, hè?' zegt ze. 'Als je op me hebt geplast verzuip ik je in de pot!'
Ze bekijkt de nachtpon en haar mollige benen. Ze zijn droog. Ik trek snel mijn onderbroek omhoog, loop voorzichtig tussen de scherven door de wc uit en bots tegen mijn moeder op.
'WAAR ZIJN JULLIE IN VREDESNAAM MEE BEZIG?' schreeuwt ze.
Van schrik zet ik een stap achteruit en voel een klein stukje glas gemeen in mijn voet snijden. Op mijn andere voet hinkel ik de gang door en ga voor mijn kamer op de grond zitten. Overal liggen druppels bloed. Roos en mijn moeder hebben het ook gezien. Ze schrikken zich rot en beginnen meteen de snee in mijn voet te verzorgen.

Tien minuten later liggen we op het grote bed van mijn ouders, mijn moeder in het midden en Roos en ik aan de zijkanten. Om mijn linkervoet zit een rol verband gewikkeld, zo dik dat ik alleen de topjes van mijn tenen kan zien.
'Doet het nog zeer?' vraagt mijn moeder.
'Een beetje,' zeg ik. 'Maar niet zo erg als net.'
Ik voel de hand van mijn moeder op mijn arm. We kijken elkaar

aan. 'Het spijt me, Ilse,' fluistert ze. 'Het is allemaal mijn schuld.'
'Nee, het is mijn eigen schuld,' zeg ik. 'Als ik gewoon het licht in de gang had aangedaan, was er niets gebeurd.'
'En als ik niet in het donker op de plee had gezeten ook niet,' zegt Roos.
Mijn moeder kijkt naar het plafond. Haar hand glijdt van mijn arm en het wordt stil in de slaapkamer. Het enige geluid dat we horen is het tikken van de regendruppels op het raam. Na een tijdje zegt mijn moeder: 'Het is wél mijn schuld. Alles is mijn schuld.'
Ik draai mijn gezicht weer naar haar toe en zie dat er tranen in haar ogen staan. 'Hé, mam!' zeg ik. 'Wat is er?'
Roos pakt snel een papieren zakdoekje en geeft het aan mijn moeder. Ik ga rechtop zitten. Mijn moeder dept haar ogen droog en snuit haar neus. Als ze het zakdoekje onder haar kussen heeft gestopt, leg ik een hand op haar knie. 'Waarom zei je nou dat het jouw schuld was, mam? Jij kon er toch niets aan doen dat wij in het donker naar de wc gingen?'
'Ja,' zegt Roos. 'En wat bedoelde je met "alles"?'
Mijn moeder gaat ook rechtop zitten. Met de mouw van haar nachthemd veegt ze de laatste tranen weg en kijkt ons een voor een aan. 'Ach, ik kan het net zo goed vertellen,' zegt ze. 'Jullie zijn er oud genoeg voor, denk ik. Maar je moet me wel beloven dat je het geheim zult houden.'
Ik heb geen idee wat ze gaat vertellen, maar ik zeg toch: 'Ik beloof het!'
'Ik beloof het ook!' zegt Roos.
Voor de zekerheid kijkt mijn moeder ons nog één keer aan. Het moet wel iets heel belangrijks zijn, anders zou ze niet zo achterdochtig doen.

Het familiegeheim

'Goed dan,' begint mijn moeder. 'Het gaat over papa. En over Maikel, jullie en mij. Maar het is bij papa begonnen, heel lang geleden, toen hij nog klein was. Daar weten jullie weinig van, hè? Van papa's jeugd?'
'Alleen dat zijn vader jong is overleden,' zegt Roos, 'aan een hartaanval.'
Ik zeg niets. Ik weet net zoveel van mijn vaders jeugd als Roos. Vroeger heb ik hem wel eens wat gevraagd, maar daar kletste hij altijd overheen.
'Dat klopt,' zegt mijn moeder. 'Toen papa acht jaar oud was is zijn vader overleden. Maar niet aan een hartaanval. Dat heeft oma verzonnen om de waarheid te verdoezelen. Papa's vader heeft zelfmoord gepleegd.'
'O, wat erg!' zegt Roos.
Mijn moeder kucht even. 'Ja, dat is erg,' zegt ze. 'Maar dat is nog niet het ergste. Papa heeft hem als eerste gevonden, op de bank in de woonkamer. Hij had een overdosis slaappillen ingenomen en was al uren dood.'
'O, wat erg!' zegt Roos weer. Ik wil ook iets zeggen, maar ik kan het niet. Ik kan helemaal niets meer: niet praten, niet ademen, niet bewegen. Alleen denken kan ik nog, aan dat

kleine jongetje van acht dat zijn vader dood op de bank vindt.
'En toen?' vraagt Roos. 'Wat gebeurde er toen?'
'Toen heeft oma de doosjes van de slaappillen weggegooid en de dokter gebeld. Die constateerde een hartaanval, en daarmee was de kous af. Sinds die dag denkt iedereen dat opa aan een hartaanval is overleden.'
'Behalve papa dus,' zegt Roos.
'Behalve papa, ja,' zegt mijn moeder somber. 'Hij was de enige die wist wat er écht was gebeurd. Maar hij mocht er met niemand over praten van oma. Als hij dat wel zou doen, zou hij naar een weeshuis worden gestuurd. Daar heeft ze hem jarenlang mee bedreigd. Begrijp je nou waarom hij nooit naar oma gaat?'
'JA!' zeg ik. Het woord knalt spontaan uit mijn mond. Dat heb je wel eens als je lang je adem hebt ingehouden.
'Wat een rotstreek!' zegt Roos. 'Zoiets doe je toch niet?'
'Vandaag misschien niet,' zegt mijn moeder, 'maar toen wel. Vergeet niet dat het bijna vijftig jaar geleden gebeurde. Toen waren de mensen nog niet zo open en vrij als nu. Als er in die tijd iets ergs gebeurde, een zelfmoord of een scheiding, dan werd er niet over gesproken. Zeker niet in het dorpje waar papa vandaan komt.'
'Belachelijk,' zeg ik. 'En zielig voor papa.'
'Tja,' mompelt mijn moeder. 'En ook voor ons.'
'Hoezo voor ons?' vraagt Roos.
Mijn moeder pakt het zakdoekje onder haar kussen vandaan. Ze veegt een druppel van haar neus en gaat verder met haar verhaal. 'Omdat papa met niemand over de dood van zijn vader mocht praten, sloot hij zich op in zijn kamer en draaide hij de hele dag plaatjes. Zo verwerkte hij zijn verdriet. Maar tegelijkertijd werd hij heel eenzaam. Hij speelde niet meer op straat, hij verloor zijn vriendjes en hij ging niet meer naar school. Dat kon blijkbaar nog

in die tijd. Pas toen er jaren later iemand van de onderwijsinspectie op de stoep stond, is hij weer naar school gegaan. Gelukkig kon hij goed leren en haalde hij op tijd zijn diploma. Vervolgens ging hij naar de marine en daarna studeren in de grote stad. Daardoor kon hij eindelijk het huis uit en was hij vrij van oma's dreigementen. Maar diep vanbinnen was hij niet vrij. In zijn hart is papa altijd dat bange, eenzame jongetje van acht gebleven. Zo heb ik hem zestien jaar geleden leren kennen, op een stille avond in de bieb. Hij was al veertig en ik dertig. Niet lang daarna zijn we getrouwd, en negen maanden later werd Maikel geboren.'
'Wauw!' zegt Roos. 'Wat zal papa blij zijn geweest.'
'Dat was hij zeker. Een beetje té blij, want vanaf dat moment draaide zijn leven alleen nog maar om Maikel. Het leek wel een obsessie. Dag en nacht was hij met Maikel bezig. Hij gaf hem de fles, hij verschoonde zijn luiers, hij deed hem in bad, en als Maikel 's nachts huilde ging hij eruit om hem weer in slaap te wiegen. Ik hoefde niets te doen. Alleen als papa op zijn werk was had ik Maikel even voor mezelf. Maar dan belde hij nog vijftig keer per dag op om te vragen hoe het met hem ging. Zo gek was hij op Maikel. Of bezorgd, dat is een beter woord. Papa was bezorgd om Maikel, vandaar dat hij altijd met hem bezig was. Hij wilde dat Maikel een betere jeugd zou krijgen dan hij had gehad. De rest was niet belangrijk: zijn huwelijk niet, zijn werk niet, zelfs jullie niet. Dat klinkt misschien hard, maar het is wel waar. Papa had maar één kind, en dat was Maikel. Voor jullie en mij had hij geen tijd meer. Wij waren er wel, maar hij besteedde geen aandacht aan ons. Daardoor is alles uit de hand gelopen.'
'Wat is er dan uit de hand gelopen?' vraag ik.
'Wíj,' antwoordt mijn moeder. 'Wíj zijn uit de hand gelopen. Omdat papa ons geen aandacht gaf, zijn we het zelf gaan zoeken. Zo liet ik bijvoorbeeld heel vaak het eten mislukken.'

‘Hè?’ reageert Roos verrast. ‘Dus je kunt wél koken?’
‘Natuurlijk kan ik koken. Ik kon al koken toen ik acht was. Maar ik doe het niet, omdat ik aandacht zoek bij papa, net als jij.’
‘Ik?’ zegt Roos, alsof ze van niets weet. ‘Wat doe ik dan?’
Eindelijk verschijnt er weer een glimlachje op mijn moeders gezicht. ‘Uit je neus peuteren op school,’ zegt ze. ‘Of wou je mij wijsmaken dat je echt zo dom bent?’
Roos krijgt een rooie kop en zegt niets meer.
‘En jij, Ilse,’ vervolgt mijn moeder, ‘jij bent aandacht gaan zoeken door keihard je best te doen op school. En door elf keer voor je zwemdiploma te zakken, terwijl je elke zomer met Simone in het zwembad ligt.’
Ik was al begonnen met blozen, want ik wist precies wat er ging komen.
‘Maar die trucjes hebben weinig geholpen,’ zegt mijn moeder. ‘Voor papa bestaan we nog steeds niet. Ja, soms wordt hij wel eens boos omdat Roos slechte cijfers haalt. En hij vindt het vreemd dat Ilse haar zwemdiploma nog niet heeft. Maar dat is het wel zo’n beetje. Mijn mislukte maaltijden heeft hij altijd opgegeten, en de mooie Cito-toets van Ilse heeft hij niet eens gezien. De enige die hij ziet is Maikel...’
Er komen weer tranen tevoorschijn. Roos geeft mijn moeder een schoon zakdoekje en pakt er zelf ook een. Ik weet niet wat ik moet zeggen en denk na over de dingen die mijn moeder heeft verteld. Aan de ene kant doet het pijn dat mijn vader zo’n vreselijke jeugd heeft gehad, en dat hij kennelijk alleen van Maikel houdt. Maar aan de andere kant ben ik blij dat ik weet waarom mijn moeder zo vaak het eten laat aanbranden, waarom Roos geen fluit uitvoert op school en ik nog steeds geen zwemdiploma heb. Het is triest dat het zo is gegaan. Maar het is ook best grappig, omdat we al die dingen voor niets hebben gedaan.

'Wat zit je te lachen?' vraagt mijn moeder aan mij. Haar tranen zijn weg en ze heeft het verfrommelde zakdoekje op het dekbed gegooid.
'Ach, niks,' zeg ik. 'Ik vroeg me af of we morgen weer een paar pikzwarte gehaktballen krijgen, of dat je eindelijk normaal gaat koken.'
Mijn moeder en Roos schieten in de lach. Het is kwart over twee. Maikel loopt al uren door de regen te soppen, mijn vader zoekt zich het apenzuur en wij zitten vrolijk te lachen.
'Oké,' zegt mijn moeder, 'vanaf morgen zal ik weer normaal gaan koken. Als jij voor de vakantie je zwemdiploma haalt, en Roos belooft dat ze na de vakantie haar best zal doen op school.'
We beloven het allebei. Als Roos Harry Potter in het Engels kan lezen en ik elke zomer stiekem in het diepe zwem, is het zo gepiept.
'Maar nou heb je nog steeds mijn vraag niet beantwoord,' zegt Roos.
'Welke vraag?' zegt mijn moeder.
'Waarom alles jouw schuld is. Dat zei je toch aan het begin?'
Ik zie mijn moeders gezicht weer betrekken. Net zat ze nog te lachen en nu kijkt ze weer verdrietig. 'Omdat ik alles heb laten gebeuren,' zegt ze. 'Ik wist wat er aan de hand was. Ik zag dat je vader totaal bezeten was van Maikel en de rest van zijn gezin verwaarloosde. Maar ik heb niets gedaan. Daarom is het mijn schuld, ook die herrie in de wc daarnet. Als ik vijftien jaar geleden had ingegrepen, waren al die dingen nooit gebeurd.'
'Waarom heb je dat niet gedaan dan?' vraagt Roos.
Mijn moeder trekt haar schouders op. 'Ik had medelijden met papa. En ik wist dat het geen zin had. Als je zo zwaar beschadigd bent als hij, luister je niet naar anderen. De enige manier om erachter te komen is door het zelf te ontdekken. Die kans heeft hij

nu, nu Maikel weg is en papa alle tijd heeft om na te denken over wat hij heeft gedaan.'
Roos knikt. 'Laten we hopen dat het lukt,' zegt ze. 'En dat hij daarna een timmercursus gaat volgen, want dat heeft opa hem nooit kunnen leren.'
Ik knik ook en moet opeens aan het kastje met de foto denken. De foto van de man met het lieve gezicht en de trieste ogen.
'Hoe zit het eigenlijk met die foto?' vraag ik aan mijn moeder. 'Waarom heeft papa een foto van opa op zijn *Superster*-kastje gezet?'
Het wordt weer muisstil in de slaapkamer. Mijn moeder zucht en Roos en ik kijken elkaar gespannen aan. We weten nog niet wat mijn moeder gaat zeggen, maar dat het iets moeilijks wordt is wel zeker.
'Dat heeft ook met de dood van opa te maken,' zegt ze. 'Volgens papa kon opa heel goed zingen en wilde hij graag zanger worden. Maar omdat hij een huis en een gezin had, moest hij hard werken. Daarom kwam er van zijn zangcarrière niets terecht. Het enige wat hij kon was plaatjes kopen en thuis zingen, voor papa. Niet voor oma, want die vond dat hele zanggedoe maar niks. Zo zakte opa langzaam maar zeker in de put, tot hij er op een nacht niet meer was.'
Mijn moeder stopt met vertellen. Ze veegt de tranen uit haar ogen.
Roos en ik zitten ook te slikken.
'Dus de meeste platen zijn niet van papa maar van opa,' zegt Roos.
Mijn moeder knikt en snuit haar neus.
'En Maikel vervult opa's droom,' zeg ik met een brok in mijn keel.
'Ja,' zegt mijn moeder, 'Maikel vervult opa's droom.'

Na een lange stilte gaat plotseling de telefoon en horen we van mijn vader dat Maikel gewoon bij de producent lag te maffen, en dat hij twee uur voor Piet Snot heeft rondgereden.
Terwijl mijn moeder de telefoon uitzet, kijken Roos en ik elkaar weer aan. Eigenlijk zouden we nu moeten lachen omdat mijn vader twee uur voor Piet Snot heeft rondgereden. Maar we lachen niet, omdat we beseffen dat we nooit meer met dezelfde ogen naar mijn vader zullen kijken.

Hartzeer

Lyla heeft Maikel gedumpt. Een dag voor de kwartfinale. Eerst had ze haar excuus aangeboden voor de ruzie en de klap. Daarna hebben ze nog een gezellige week gehad met elkaar; een week met wandelingen, terrasjes en een filmpje. Toen heeft ze hem gedumpt, precies op het juiste moment. Zo maak je iemand kapot. En dat is goed gelukt, Maikel is compleet kapot. Dat komt de producent – of Bram, zo mogen wij hem sinds kort noemen – ons vertellen. Ook hij ziet er een beetje kapot uit, omdat zijn showtje weer in het water dreigt te vallen, en omdat hij niet weet wat hij met Maikel aan moet. Daarom is hij na het eten direct naar ons toe gekomen om te vragen of wij het misschien weten.
'We maken ons grote zorgen, meneer Westbroek,' zegt hij. 'Maikel zit al uren in zijn slaapkamer. We hebben echt alles geprobeerd om met hem te praten, maar hij wil niet naar buiten komen.'
'En, hoe voelt dat?' vraagt mijn vader.
Het is zeven uur. We zitten met z'n vijven in de woonkamer. Mijn moeder heeft koffie, thee en een schaaltje pindarotsjes op tafel gezet.
'Machteloos!' zegt Bram. 'Verschrikkelijk machteloos!'

Mijn vader knikt. Hij doet alsof het hem niets kan schelen, maar ik zie dat hij ook ongerust is. 'Heel goed,' zegt hij. 'Nu weet je hoe wij ons al tien jaar voelen.'
Bram krijgt een kleur. 'Sorry,' zegt hij zachtjes, 'dat was ik even vergeten. Jullie zitten al jaren met hetzelfde probleem.'
'Hoezo probleem?' zegt Roos. 'Voor ons is het geen probleem, hoor. Wij vinden het wel lekker dat die zeurkous de hele dag in zijn kamer zit.'
'Als hij z'n bordje maar leeg eet,' zegt mijn moeder.
'En af en toe onder de douche gaat,' zeg ik, 'anders gaat hij zo stinken.'
Bram kijkt verbaasd de kamer rond. Hij weet niet of we hem in de maling nemen of niet. Pas als hij mijn moeders glimlach ziet, weet hij dat hij erin is gestonken.
'Maar goed,' zegt mijn vader met een ernstige blik, 'wat zullen we doen? Laten we Maikel in zijn kamertje zitten, of halen we hem eruit en zorgen we ervoor dat hij morgen gaat zingen?'
'Dat laatste natuurlijk!' zegt Roos. 'Nu hij eindelijk van die maffe trut af is, moet hij júíst doorzetten!'
'Prima,' zegt mijn vader. 'En wie gaat het klusje klaren?'
Alle gezichten draaien mijn kant op. Ik zat er al op te wachten: de KVO mag het weer opknappen. Zelfs Bram kijkt naar mij, alsof hij voelt dat ik zijn enige hoop ben.
Met een zucht sta ik op en loop naar de gang. Terwijl ik mijn jas aantrek, doet mijn moeder de pindarotsjes in een zakje en geeft mijn vader mij een briefje. 'Dit liedje moet hij zingen,' zegt hij. 'Als het goed is staat het op zijn iPod, anders moet hij het maar bij Bram downloaden.'

Om halfacht sta ik met het zakje pindarotsjes en het opgevouwen briefje in mijn handen voor Maikels logeerkamer. Bram,

zijn vrouw en twee dochters staan onder aan de trap te kijken wat er gaat gebeuren.
Ik klop twee keer zacht op de deur: de I van Ilse. Er gebeurt niets. Ik klop nog een keer en daarna nog een keer, maar er wordt niet opengedaan. Er komt niet eens een geluid uit de kamer. Als ik nog een keer wil kloppen, zie ik ineens dat er geen sleutelgat in de deur zit en ga ik gewoon naar binnen.
Het kamertje is piepklein. In de hoek ligt een matras op de grond en voor het raam staat een houten stoel met Maikels tas erop. Achter de deur staat een smalle kleerkast. Opgelucht doe ik de kamerdeur dicht en trek de deur van de kleerkast open.
Daar zit Maikel, onder in de kast, met zijn knieën opgetrokken. Hij schrikt en trekt een dopje van de iPod uit zijn oor.
Ik ga op mijn hurken voor de kast zitten. Er hangen geen kleren in, dus ik kan Maikels gezicht goed zien. Zijn wangen zijn droog, maar aan de rode kringen om zijn ogen zie ik dat hij heeft gehuild.
'Hé,' zeg ik.
'Hhhé,' zegt hij.
We kijken elkaar aan. Maikel zet de iPod uit en trekt het andere dopje uit zijn oor. Ik geef hem het zakje pindarotsjes. 'Van mam,' zeg ik.
'O,' zegt hij, en stopt er eentje in zijn mond.
'Hoe gaat het?' vraag ik als hij zit te kauwen.
Maikel zegt niets. Er glinsteren nieuwe tranen in zijn ogen.
Ik pak ook een pindarotsje uit het zakje en vraag wat er is gebeurd.
Het blijft stil. We kauwen onze pindarotsjes op en Maikel neemt er nog eentje. 'Zzze hhheeft een a-a-ander,' zegt hij.
'Een ander? Sinds wanneer?'
'Wwweet ik nnniet,' antwoordt Maikel. De tranen rollen over

zijn wangen. Ik zou hem wel willen omhelzen, maar ik weet dat dat niet verstandig is.
'Het spijt me voor je, Maikel,' zeg ik.
Hij kijkt mij vijandig aan. 'Hhhet ssspijt je hhhelemaal nnniet!' snauwt hij. 'Jjjullie hhhadden een hhhekel aan Ly-ly-lyla!'
Mijn wangen worden warm en ik laat mijn hoofd zakken. Voor het eerst begrijp ik hoe verkeerd het was om een hekel te hebben aan Lyla. Niet voor Lyla, maar voor Maikel. Als je broer een meisje heeft, moet je juist blij zijn dat hij gelukkig is. Niet kritisch en gemeen.
'Je hebt gelijk,' zeg ik. 'En dat spijt me óók.'
Maikel pakt nog een pindarotsje en veegt de tranen van zijn wangen. Ik wil er ook eentje pakken, maar hij trekt het zakje onder mijn hand vandaan. We glimlachen allebei. Heel even maar, alsof het niet mag.
'En nu?' vraag ik. 'Wat ga je nu doen?'
'Nnniks,' zegt Maikel.
'En morgen?'
'O-o-ook nnniks.'
'Prima,' zeg ik, en ik geef Maikel het briefje. 'Dan heb je alle tijd om naar het theater te komen en dit liedje te zingen!'
Maikel kijkt op het briefje. Meteen springen de tranen weer in zijn ogen.
'Papa heeft het opgeschreven,' zeg ik. 'Staat het op je iPod?'
'Nnnee,' snottert hij. 'Ik k-k-ken hhhet uit mmm'n hhhoofd.'

Het is stil in de vipruimte. Het optreedlijstje hangt aan de muur en de show gaat zo beginnen. Maar de derde kandidaat, Maikel, is er nog niet. Daarom is het zo stil. En omdat de breuk tussen Maikel en Lyla in alle kranten staat.
'Zou hij nog komen?' vraagt mijn moeder.

We zitten samen op een bank. Simone en haar moeder zitten in de zaal. Roos is thuisgebleven. Dat moest van mijn vader, omdat hij niet wilde dat ze ruzie zou maken met Lyla.
'Ik weet het niet, mam,' zeg ik. 'Ik heb hem al tien keer gebeld, maar hij neemt niet op.'
Xandra komt bij ons zitten. 'Ik heb net met Merel gesproken,' zegt ze. 'Zij staat als vierde op de lijst, maar ze wil best eerder optreden als het moet. Dan heeft Maikel wat extra tijd om te komen.'
Merel zit een stukje verderop. Ze hoort dat Xandra het over haar heeft en glimlacht naar ons. Een beetje verlegen, zoals altijd.
'Doe dat maar,' zeg ik tegen Xandra. 'Misschien komt Maikel wel op het laatste moment aanwaaien.'
'Fijn,' zegt Xandra, die de verandering op haar schrijfplankje krabbelt en naar Merel loopt om haar het nieuws te vertellen.
'Wat aardig van haar,' zegt mijn moeder.
'Ja,' zeg ik. 'Merel is superaardig.'
Xandra komt weer terug en zegt dat het in orde is. Ze kijkt kort op haar horloge en gaat nog even naast mij zitten. 'Je zus vroeg mij laatst wie dat negatieve verhaal over Maikel naar de krant heeft gestuurd,' fluistert ze.
'Klopt,' fluister ik terug, terwijl ik met een kwaaie blik naar Lyla kijk.
'Dat schijnt een zekere Arnold Kist te zijn,' vervolgt Xandra. 'Volgens mijn informatie heeft hij ook de foto's gemaakt. Dat is alles wat ik weet.'
'Bedankt,' zeg ik. 'Ik zal het doorgeven aan mijn zus.'
Als Xandra weg is gaan Edwin, Merel, mijn moeder en ik voor de grote tv zitten. De show begint en Lyla is de eerste kandidaat. Pepijn kondigt haar aan alsof ze een wereldster is. Ze komt op en de muziek begint. Zodra ik het liedje 'Unfaithfull' van Rihanna hoor, ontplof ik bijna van woede.

‘Dit gaat over Maikel,’ zeg ik hardop. ‘Dat rotwijf zingt over Maikel.’
‘Hou je een beetje in, Ilse!’ zegt mijn moeder.
‘NIKS, INHOUDEN!’ schreeuw ik. ‘EERST HEEFT ZE MAIKEL VERSIERD OM HEM SUFFE LIEDJES TE LATEN ZINGEN, TOEN HEEFT ZE HEM EEN DAG VOOR DE SHOW GEDUMPT EN NU ZINGT ZE DAT ZE ZOGENAAMD SPIJT HEEFT.’
Mijn moeder legt een hand op mijn schouder, maar ik schud hem van me af en loop de vipruimte uit. Even later kom ik weer binnen en ga naast mijn moeder zitten. ‘Het spijt me,’ zeg ik. ‘Maar ik heb wel gelijk.’

Om kwart voor negen staan Merel en ik naast het podium. Ik merk dat ze zenuwachtig is en pak haar hand. Mijn moeder staat stilletjes achter ons.
Op het podium kletst Pepijn weer een eind weg. Ik begin ook nerveus te worden en voel een zweetdruppeltje over mijn rug lopen. Dan is het zover, Pepijn begint de derde kandidaat aan te kondigen. Ik knijp in Merels hand en wens haar veel succes. Op hetzelfde moment komt Xandra naast haar staan. Ze fluistert iets in haar oor. Merel knikt en doet een stapje opzij. Net als ik wil vragen wat er aan de hand is, zie ik Maikel langs haar heen lopen en horen we het publiek juichen.
Ik knijp nog een keer in Merels hand. Ze kijkt mij aan en glimlacht. Ze is ook verrast, zie ik, en blij tegelijk. Ondertussen wordt de muziek gestart en zingt Maikel ‘You don’t have to say you love me’, van Dusty Springfield.
Met z’n drieën kijken we naar de tv. Ik voel mijn hart in mijn keel bonken. Maikel is toch gekomen. Hij zingt geweldig en zijn liedje gaat over Lyla, dat is het mooiste van alles. Het is geen swingliedje zoals de vorige keer, maar een hartzeerliedje, een

liedje dat precies bij Maikel past en waar hij zeven weken geleden in één klap beroemd mee werd.

'Goeie genade!' zegt mijn moeder. 'Het lijkt wel een bokswedstrijd. Net zong Lyla een zielig liedje over Maikel, en nu zingt hij een zielig liedje over haar. Hoe lang gaat dat nog duren?'

Nog minstens een week, horen we na het tellen van de sms'jes, want ze gaan allebei door. Merel heeft het ook gered, ondanks de zenuwen. Edwin valt af. Hij heeft veel beter gezongen dan Lyla, maar de mensen houden blijkbaar meer van boksen dan van zingen.

Rare families

Een dag na de show ben ik bij Simone thuis. De grote vogelkooi moet weer worden schoongemaakt. Daarna gaan we patat halen en *Memories* kijken.
Naast de kooi trekken we onze regenpakken aan.
'Komt Maikel nu weer thuis wonen?' vraagt Simone.
'Nee, nog niet,' zeg ik.
'Waarom niet? Het is toch uit met Lyla?'
'Dat is waar. Maar Maikel kan behoorlijk koppig zijn. En hij heeft geen zin in een preek van mijn vader.'
Als we de regenpakken aan hebben, lopen we met onze schepjes in de hand de kooi binnen. Peppie en Geeltje zitten hoog op een stokje te tjilpen.
'Wat een rare familie zijn jullie toch,' zegt Simone. 'Ik heb geen vader meer en zou er alles voor over hebben om hem terug te krijgen, en Maikel heeft wél een vader en wil hem niet zien.'
Ik doe de deur achter me dicht en ga naast Simone op mijn knieën zitten. We beginnen te schrapen. Er liggen niet veel poepjes meer, maar ze zitten wel muurvast. Intussen denk ik na over Simones woorden. Natuurlijk heeft ze gelijk. Het is belachelijk als je je vader niet wilt zien, terwijl er zo veel kinderen zijn die geen vader meer hebben. Eigenlijk zouden we ons kapot

moeten schamen. Maar dat doen we niet. We vinden het heel gewoon om ouders te hebben. Pas als er eentje doodgaat en je diegene nooit meer kunt zien, besef je hoe dom je bent geweest. Dan ga je je wél schamen. Als het te laat is. Altijd als het te laat is.
'Hoi, Ilse!' roept Simones moeder, die met een zware boodschappentas binnenkomt. 'Is Maikel alweer thuis?'
Ik ga rechtop zitten. Door het gaas zie ik haar naar de keuken lopen. Ze zet de boodschappentas op een stoel en trekt haar spijkerjasje uit.
'Nee, nog niet!' roep ik terug.
Simone zit ook rechtop. Ze ziet dat ik het lastig vind om weer over Maikel te praten, daarom roept ze: 'Heb je appelmoes gehaald?'
Haar moeder begint de tas uit te pakken. 'Ja, twee potten,' zegt ze. 'En twee flessen ketchup, die waren in de aanbieding.'
'Ik lust helemaal geen ketchup,' zegt Simone tegen mij. 'Dat heb ik haar al honderd keer verteld, maar ze blijft het gewoon kopen.'
Ik veeg de zweetdruppels van mijn voorhoofd. 'Wat een rare familie zijn jullie toch,' zeg ik. 'Ik ben gek op ketchup en mijn moeder koopt het nooit, en jij lust geen ketchup en je moeder blijft het maar kopen.'
Simone heeft hem door en zegt: 'Sorry, dat had ik niet moeten zeggen over Maikel en je vader.'
'Jawel,' zeg ik. 'Je bent mijn beste vriendin, en dan mag je alles zeggen.'
We buigen ons weer voorover en gaan verder met schrapen. Ik verwacht dat Simone mij zal vragen waar ónze raarheid vandaan komt, maar ze zegt niets. Dat is maar goed ook, want ik heb mijn moeder beloofd dat ik er met niemand over zal praten, zelfs niet met mijn beste vriendin.

Een uur later staan we in de tuin en spuiten we elkaars pakken schoon. Het water is ijskoud. Het liefst zou ik al mijn kleren uittrekken en er in m'n nakie onder springen. Maar dat gaat niet, want Simones buren zitten te gluren.
Als we allebei schoon zijn, hangen we de pakken aan de waslijn en gaan we weer naar binnen. Simones moeder zit met een glas wijn op de bank. Wij pakken twee blikjes sinas uit de koelkast en gaan naast haar zitten.
'Mam,' zegt Simone na een tijdje, 'ik moet iets zeggen.'
Omdat ze nogal serieus klinkt, kijken haar moeder en ik haar aan.
'Ik heb geen zin meer in die vogelkooi,' zegt ze.
'Hoe kom je daar opeens bij?' vraagt haar moeder.
'Gewoon,' zegt Simone. 'Sinds Dixie is weggevlogen zit ik er al over na te denken, en ik geloof dat het tijd is om die laatste twee ook vrij te laten.'
'Weet je het zeker?' vraag ik. 'Het is alles wat je nog van je vader hebt.'
Simone schudt haar hoofd. 'Nee,' zegt ze. 'Het gaat er niet om hoeveel dingen ik nog van mijn vader heb, het gaat erom wat er in mijn hart zit, en in mijn hoofd. Die vogels gaan op een dag toch dood, en spulletjes kun je kwijtraken. Maar de herinneringen aan mijn vader raak ik nooit kwijt. Die zitten voor altijd in mijn hoofd, net als zijn liefde altijd in mijn hart zal zitten.'
'Zo zo,' zegt haar moeder, 'wat een wijsheid voor een meisje van twaalf.'
'Niet overdrijven, mam,' zegt Simone, 'zo wijs ben ik niet. Het is wel waar wat ik heb gezegd, maar ik heb ook geen zin meer om elke week die kooi schoon te maken. Lekker egoïstisch, hè?'
Haar moeder neemt een slokje wijn. 'Dat vind ik niet,' zegt ze. 'Het is juist heel eerlijk. Ik ben die kooi al jaren zat. Maar ik

durfde er niets over te zeggen, omdat ik bang was dat je boos zou worden.'
Simone glimlacht een beetje. 'Vroeger was ik misschien boos geworden,' zegt ze. 'Maar nu niet meer. Nu weet ik dat het de juiste tijd is.'
'Doe het dan maar,' zegt haar moeder, 'voordat je je bedenkt.'
Simone staat op en zet de deur van de kooi wijd open. Na tien minuten wachten is het zover: Peppie vliegt door het open raam naar buiten. Geeltje blijft zitten en laat een poepje vallen. Als ze er na een kwartier nog zit, stapt Simone de kooi in en laat Geeltje op haar vinger wippen. Vervolgens loopt ze naar het raam en zet het vogeltje op de rand. Weer wachten we af, vijf minuten. Dan springt Geeltje omhoog en fladdert terug naar haar stokje.
'Ik denk dat ze wil blijven, Siem,' zeg ik.
'Dat denk ik ook,' zegt Simone.
Haar moeder staat op en loopt naar de keuken. 'Maar dan gaat ze wel in een normale kooi,' zegt ze, 'want dat lelijke hok wil ik niet meer zien.'
Simone en ik staan ook op. Ze doet de deur van de kooi dicht en samen kijken we naar Geeltje, die vrolijk begint te tjilpen.
'Ben je niet teleurgesteld?' vraag ik.
'Totaal niet,' zegt Simone. 'Ik ben juist blij dat het zo is gegaan. Geeltje is mijn lievelingsvogel. Peppie is een gemeen kreng. Als ik haar wilde aaien pikte ze altijd in mijn vinger. Daarom ben ik blij dat ze weg is.'
Ik sla een arm om haar schouders en zeg: 'Laten we hopen dat zaterdag het andere kreng ook wegvliegt, dan is iedereen blij.'

Kleedkamer 6

Voor de halve finale zijn alleen Simone en ik meegekomen. Onze moeders hebben weer last van hun zenuwen, mijn vader wil niet mee en Roos mag niet mee, omdat ze Lyla nog steeds in elkaar wil stampen.
De avond gaat anders dan normaal. Omdat er nog maar drie kandidaten over zijn, maakt Mandy met elke kandidaat een praatje en worden er clipjes vertoond van de nummers die ze eerder hebben gezongen. Dat moet wel, anders is de show te snel voorbij. Tijdens het praatje met Maikel mag ik naast hem staan om hem te helpen als hij heel erg gaat stotteren.
Een paar minuten voor de uitzending komt Lyla terug van de make-up. We hebben nog geen woord tegen elkaar gezegd, maar nu komt ze ineens naar ons toe en geeft Maikel een briefje. 'Dit moest ik van Xandra geven,' zegt ze overdreven vriendelijk. 'Veel succes straks!'
Lyla loopt naar de koelkast en wij lezen het briefje.

Laten we het gesprek nog even doornemen, dan ben je straks minder zenuwachtig op het podium. Ik zit in kleedkamer 6.
Xandra.

'Wat raar,' zeg ik. 'De show kan elk moment beginnen en Xandra wil het gesprek nog even doornemen. Daar is helemaal geen tijd voor.'
Maikel stopt het briefje in het borstzakje van zijn overhemd. 'Wwwaarom nnniet?' zegt hij. 'Ik b-b-ben p-p-pas als tweede a-a-aan d-d-de b-b-beurt.'
Dat is waar, denk ik. Merel moet beginnen, dan komt Maikel en dan Lyla. Volgens de planning duurt elk optreden ongeveer twintig minuten, inclusief het gesprek en de clipjes, dus het zou kunnen.
'Goed, ga dan maar,' zeg ik. 'Maar ik ga wel mee, voor de zekerheid.'
'Ik ook,' zegt Simone, 'want zes is een ongeluksgetal.'
We staan op en lopen de vipruimte uit. Net voordat ik de deur achter mij dicht wil doen kijk ik naar Merel. Ze zit alleen op een bankje en schudt heel kort haar hoofd. Even twijfel ik of ik naar haar toe moet gaan om te vragen wat ze bedoelt. Maar als Lyla naast haar gaat zitten, trek ik de deur dicht en ren ik achter Maikel en Simone aan.
Kleedkamer 6 is de laatste kleedkamer, aan het einde van de gang. Het is een eind lopen en het achterste lichtje in de gang is ook nog stuk.
Simone gaat als eerste naar binnen, daarna Maikel en daarna ik. Ik kijk nog even of er niemand achter ons loopt, dan doe ik de deur dicht en zie ik plotseling een grote man staan. Hij duwt mij bij de deur vandaan en draait hem op slot. Simone en Maikel zien hem nu ook. Simone slaakt een gilletje en Maikel zegt: 'Wwwat is d-d-dit?'
De man gaat met zijn rug tegen de deur staan en vouwt zijn armen over elkaar. 'Een pauze,' antwoordt hij met een bromstem. 'Tot de show voorbij is en jij wegens afwezigheid bent uitgeschakeld.'

Simone zakt verslagen op een stoel en probeert haar tranen te bedwingen. Maikel en ik blijven staan. Wij zijn ons ook rot geschrokken, maar we geven het niet zomaar op.
'Dat had je gedacht, mafkees!' zeg ik. 'Maikel gaat gewoon zingen, dus ik zou aan de kant gaan als ik jou was!'
De man blijft ijskoud staan. Hij grijnst een beetje, alsof ik een mug voor hem ben. Dat ben ik ook, vergeleken bij hem, maar muggen kunnen wel gemeen steken. Daarom vlieg ik op hem af en trap met de harde punt van mijn schoen tegen zijn scheenbeen. Hij kreunt even en trekt zijn been op. Ik wil hem nóg een trap geven. Maar voor ik hem kan raken, legt hij een grote hand op mijn gezicht en duwt mij achterover op de grond.
Dan komt Maikel in actie. 'HÉ!' schreeuwt hij. 'B-B-BLIJF MMMET JE GGORE P-P-POTEN VAN MMM'N ZZZUSJE AF!' Hij staat te trillen van woede en geeft de man een stomp op zijn neus. Het is een stomp van niks. De man, die weer op twee benen staat, lacht erom en geeft Maikel een doffe beuk terug. Voor ik het weet ligt hij naast mij op de grond. Hij is niet bewusteloos. Wel zit er een klein sneetje naast zijn wenkbrauw, waar een straaltje bloed uit loopt.
'IK BEL DE POLITIE!' hoor ik Simone roepen. 'IK BEL DE POLITIE!'
Van de zenuwen laat ze haar mobieltje vallen. Ze wil het weer oppakken, maar de man graait het voor haar neus weg en steekt het in zijn broekzak. Maikel pakt ook zijn mobieltje. Met trillende vingers wil hij 112 intoetsen, maar hij wordt aan zijn overhemd overeind getrokken. De linkermouw scheurt er half af. Twee tellen later verdwijnt ook zijn mobieltje in de broekzak van de man.
'EN WAAR IS JOUW TELEFOON?' brult hij tegen mij. Hij stormt als een wilde stier op mij af en buigt zich over mij heen.
Ik beef van angst en geef hem mijn mobieltje. De man steekt het

in zijn zak en loopt terug naar de deur. Op dat moment wordt er drie keer geklopt. Tot mijn verbazing opent de man direct de deur en laat Lyla binnen.
'Is het gelukt, Arnold?' vraagt ze.
De man doet de deur dicht en geeft haar een zoen. 'Natuurlijk, schatje,' zegt hij. 'Je weet toch dat ik goed voor je zorg.'

Het is tien over acht. De show is begonnen en Lyla is vertrokken. Ik zit met Maikel en Simone op een houten bank. Met een zakdoekje heb ik het bloed van Maikels wang geveegd en druk het voorzichtig op de snee.
'Doet het zeer?' vraag ik.
Maikel zegt niets. Hij zit met zijn rug tegen de koude muur en kijkt strak voor zich uit. Het trillen is gestopt, maar hij is nog steeds boos.
'Het zal wel gehecht moeten worden,' zegt Simone. Ze zit aan de andere kant naast Maikel en is ook een beetje tot rust gekomen.
Ik haal het zakdoekje van de snee en bekijk hem nog eens goed. Het is geen grote snee, maar wel een diepe. Daarom blijft het bloeden, denk ik.
'Mag de tv aan?' vraagt Simone aan Arnold.
Arnold knikt. Hij zit op een stoel naast de deur en steekt een sigaret op.
Simone zet de tv aan. We zien Merel en Mandy op het podium staan. Ze zijn bijna klaar met het gesprekje. Mandy stelt haar nog een vraag en Merel geeft netjes antwoord. Ze ziet er nerveus uit, nog erger dan vorige week.
Ik kijk naar Maikel en zie de boosheid van zijn gezicht verdwijnen. Er gaan allerlei gedachten door mijn hoofd. Gedachten waar ik al weken mee rondloop, maar die ik nooit heb uitge-

sproken omdat hij met Lyla ging. Ook nu spreek ik ze niet uit, want het gesprek is afgelopen en het liedje 'Make You Feel My Love' begint. Het is mijn lievelingsliedje van Adele. Normaal zou ik ernaar luisteren en denken dat het een gaaf liedje is. Maar nu niet. Nu weet ik dat het veel meer is dan een gaaf liedje. En Maikel weet het ook. Ik zie het aan zijn gezicht, ik zie het aan zijn handen, ik zie het aan alles.
'Ze zingt mooi, hè?' zegt Simone.
'Nou en of,' zeg ik. 'En het gaat ook nog ergens over, dat maakt het nóg mooier.'
Ik kijk weer naar Maikel en verwacht dat hij iets zal zeggen. Maar hij zegt niets. Hij blijft geconcentreerd naar Merel kijken en luistert naar elk woord dat ze zingt. Opeens moet ik aan de eerste liveshow denken, toen er nog twintig kandidaten waren en Maikel telkens naar die twee meisjes keek. De twee jongste meisjes van de groep, de enige meisjes van zijn leeftijd. Veel te knap voor Maikel, veel te volwassen voor Maikel. Tot hij begon te zingen en ze ook naar hem keken. Vanaf dat moment veranderde alles, voor Maikel, voor Lyla, voor Merel, voor iedereen. En nu zitten we hier, twee maanden later, opgesloten in kleedkamer 6, luisterend naar Merel die eindelijk vertelt wat ze werkelijk voelt... en naar een hoop kabaal op de gang.
'Wat hoor ik toch?' zegt Simone. Ze wil opstaan en naar de deur lopen, maar Arnold houdt haar tegen.
Maikel en ik blijven zitten. Maikel heeft het geluid niet eens gehoord, en ik moet het zakdoekje tegen zijn wenkbrauw houden. De herrie wordt steeds erger. Er wordt met deuren gesmeten en ik hoor iemand roepen: 'MAIKEL, WAAR ZIT JE?'
Nu sta ik wel op. 'HIER!' roep ik als ik de stem herken. 'HIER ZITTEN WE!'
Arnold schrikt. Hij weet niet wat hij moet doen. Hij zou mij

graag een klap voor mijn kop geven. Maar hij moet ook op de deur letten, die hij na Lyla's vertrek niet meer op slot heeft gedraaid. Dat zag ik al toen ze wegging, en Arnold ziet het nu ook, precies één seconde te laat. Net als hij de sleutel wil omdraaien, knalt de deur tegen zijn voorhoofd en valt hij bijna omver.
In de deuropening staat Roos. Ze heeft een witte badjas aan en een paar nieuwe sportschoenen. Haar nagels zijn knalrood, haar lippen zijn knalrood en ze ziet er woest uit.
'Wie ben jij?' bromt Arnold, die als een reus voor haar gaat staan.
'Een nachtmerrie op gympen!' zegt Roos, en ze schopt hem loeihard op een plek waar je mannen beter niet kunt schoppen.
Kreunend zakt Arnold in elkaar. Roos geeft hem nog een knietje tegen zijn neus en slaat hem met een ijzeren prullenbak knock-out.
Daar ligt hij dan, de gorilla die wij met z'n drieën niet aankonden en die Roos binnen vijf tellen heeft uitgeschakeld.
'Hoe... hoe wist je dat we hier zaten?' stamel ik verbaasd.
Ik heb de zakdoek uit mijn hand laten vallen en kijk naar Roos, die rustig een pluisje van haar badjas plukt. 'Iemand heeft mij gebeld,' zegt ze.
'Wie dan?' vraagt Simone.
Roos gooit het pluisje op de grond. Dan ziet ze Maikels bloedende snee en loopt snel naar hem toe. 'Merel,' zegt ze, terwijl ze een zakdoek uit haar badjas pakt en op de wond drukt, 'vlak voordat ze het podium op ging.'

Bloed, spijt en tranen

‘Wwwat mmmoet ik nnnou?’ jammert Maikel.
De kleedkamer is volgestroomd met mensen. Twee jonge politieagenten hebben Arnold Kist in de boeien geslagen en sleuren hem de gang op. Een ambulancebroeder zorgt voor Maikels wond. Bram en Merel staan bezorgd toe te kijken en Xandra zit op haar hurken voor hem.
‘Dat mag je zelf bepalen, Maikel,’ zegt ze. ‘We hebben de show tijdelijk stilgelegd. Het publiek in de zaal denkt dat er een technische storing is, en de mensen thuis zien een dvd met de hoogtepunten uit de vorige shows. Die dvd duurt een uur, dus we hebben tijd genoeg.’
Simone en ik staan achter Xandra. We zien dat ze er alles aan doet om Maikel op zijn gemak te stellen, maar het werkt niet. Hoe langer ze op hem in praat, hoe onrustiger hij wordt.
‘NNNEE!’ schreeuwt hij opeens. ‘D-D-DAT BE-BE-BEDOEL IK NNNIET!’
We schrikken er allemaal van. Simone begint zachtjes te huilen en ik hou het ook niet meer droog. Maikel was al begonnen toen hij eenmaal besefte dat de ellende met Lyla eindelijk voorbij was.
‘Wat bedoel je dan?’ vraagt Xandra.
‘Welk liedje hij moet zingen,’ zegt Roos.

Iedereen kijkt verbaasd om, behalve ik. Ik weet dat ze gelijk heeft. Maikel huilt wel om alles wat er is gebeurd, maar daar gaat zijn vraag niet over. Hij weet niet meer welk liedje hij straks moet zingen. Elk liedje dat hij tot nu toe heeft gezongen paste bij de situatie waarin hij zich op dat moment bevond. Maar na alles wat er net is gebeurd, past het liedje dat hij had voorbereid er niet meer bij. Daarom is hij zo van streek.
'Zal ik papa bellen?' stelt Roos voor. 'Die weet het vast wel.'
'Nee, doe dat maar niet,' zeg ik. 'Als hij hoort wat er is gebeurd, komt hij meteen hierheen en dan loopt het helemáál uit de hand.'
'Dat is waar,' zegt Roos. 'Die zenuwpees kan beter thuisblijven.'
Ik zeg niets meer en probeer een goed liedje te bedenken. Na een paar minuten schiet me iets te binnen. 'Hé, Siem,' zeg ik. 'Jij vertelde laatst toch een verhaal over een sterke vent en een vrouw die zijn haar eraf knipte?'
'Samsom en Delilah, ja. Hoezo?'
'Is daar geen liedje van, van Samson en dinges?'
We kijken naar Maikel. Hij heeft ons gesprekje gehoord en denkt na. Zijn blik wordt steeds rustiger en er komen geen tranen meer tevoorschijn.
Na een halve minuut trekt hij het schrijfblok onder Xandra's arm vandaan en schrijft de titel van een liedje en de naam van een artiest op. Vervolgens legt hij het op haar knieën en zegt: 'D-d-dát wwwil ik zzzingen!'
Xandra kijkt op het schrijfblok en komt langzaam omhoog. Ze denkt even na en zegt: 'Prima. Ik regel de muziek. Als jij nu naar de make-up gaat, dan kun je over twintig minuten op. Denk je dat je dat redt?'
Maikel wil al opstaan, maar de ambulancebroeder duwt hem terug op de bank. 'Dat zal niet gaan, jongeman,' zegt hij. 'Ik zal

eerst die wond moeten hechten, anders loop je de rest van je leven met een lelijk litteken rond.'
'O, dat is geen probleem,' zegt Roos. 'Hij is toch al lelijk, dus een litteken meer of minder maakt niks uit.'

Terwijl Xandra alles regelt en Maikel wordt opgemaakt, komen Lyla en haar moeder de kleedkamer binnen. Ze kijken een beetje verward om zich heen en gaan op een bankje bij de deur zitten. Het wordt doodstil in de kleedkamer. Niemand durft iets te zeggen. Zelfs Roos houdt haar kaken op elkaar.
Ik kan er niets aan doen, maar na een tijdje begin ik medelijden met haar te krijgen. Medelijden met de heks die Maikel heeft verleid, gedumpt en in een kleedkamer heeft laten opsluiten door Arnold Kist, haar nieuwe vriend. Ik denk dat daar het medelijden vandaan komt. Niet omdat ze zo zielig op een bankje zit, maar omdat ik het gevoel krijg dat er iets niet klopt. Hoe kan het anders dat Lyla een lieverd als Maikel inruilt voor zo'n lelijke aap?
Ik pieker nog even door, tot er voetstappen op de gang klinken en er een derde politieagent binnenkomt. 'Wie is Elizabeth Budding?' vraagt hij.
We kijken allemaal naar Lyla, die haar hand opsteekt.
De agent pakt een iPhone uit zijn binnenzak. Hij drukt een paar keer op het beeldscherm en zegt: 'Volgens de verklaring van Arnold Kist, de man die daarnet is aangehouden, bent u medeschuldig aan het misdrijf dat hier vanavond heeft plaatsgevonden. Klopt dat?'
Met een zucht laat Lyla haar hoofd zakken. Weer wordt het stil. Natuurlijk is Lyla schuldig, dat weet iedereen. Maar niemand wil iets zeggen. Behalve Roos, die een stukje verderop zit. 'Nee, agent,' zegt ze, 'dat is ze niet.'
De agent loopt naar haar toe. 'En wie bent u?' vraagt hij geïrriteerd.

'Roos Westbroek,' antwoordt ze netjes, 'het zusje van Maikel Westbroek. Ik was erbij toen het gebeurde, en ik weet zeker dat Lyla onschuldig is.'
'Bent u bereid dat op het politiebureau te verklaren?' vraagt de agent.
'Ja, hoor,' zegt Roos. 'Maar niet nu, want Maikel moet zo optreden.'
De agent kijkt op zijn horloge. Zo te zien heeft hij er geen zin meer in. Hij stopt de iPhone weer in zijn binnenzak en mompelt: 'Maandag om tien uur op het hoofdbureau. Neem je vader of moeder mee, want verklaringen van minderjarigen zijn niet rechtsgeldig.'
Roos wil nog iets zeggen, maar de agent draait zich om en loopt naar de deur. Als hij weg is kijkt Lyla naar Roos en vraagt: 'Waarom zei je dat nou?'
'Omdat ik heel aardig ben,' zegt Roos. 'En omdat Maikel zo voor jou gaat zingen.'

Om kwart over negen is het eindelijk zover. Maikel loopt het podium op. De linkermouw van zijn overhemd hangt er nog steeds half af en er zit een pleister op zijn wenkbrauw. Onmiddellijk ontstaat er een geroezemoes in de zaal. De mensen zijn geschokt en vragen hardop wat er is gebeurd. Maar daar heeft Maikel geen tijd voor. Het enige wat hij wil is zingen. Daarom knikt hij naar de geluidsman en wordt de muziek gestart.
Simone en ik zijn in de kleedkamer achtergebleven, samen met Lyla en haar moeder. Roos en Merel staan naast het podium.
Op de tv wordt de muziek gestart en begint Maikel te zingen. Het is weer een mannenliedje: 'Delilah' van Tom Jones. Ik herken het meteen van mijn vaders platencollectie. Lyla kent het ook, zo te zien, want de tranen rollen over haar wangen.
Als Maikel aan het refrein begint legt Lyla haar gezicht in haar

handen en snikt het uit. Haar moeder heeft het ook zwaar. Ze veegt een traan uit haar ooghoek en kijkt naar Lyla, die steeds harder gaat huilen. Het is zo teurig dat ik bijna mee ga janken. Maar ik hou me in en blijf naar Maikel kijken. Hij slingert zijn laatste emoties eruit. De aderen in zijn hals zwellen op, zijn voorhoofd glimt van het zweet en uit de pleister op zijn wenkbrauw lekt een dun straaltje bloed.
De mensen in de zaal zijn er stil van. Ze klappen niet, ze juichen niet. Ze kijken alleen maar, alsof ze betoverd zijn.
Als Maikel voor de tweede keer het refrein zingt, komt Xandra binnen en gaat naast Lyla zitten. 'Ga je mee?' zegt ze. 'Je bent zo aan de beurt.'
'Nee,' snottert Lyla zonder op te kijken. 'Ik kap ermee.'
Xandra vraagt of ze het wel zeker weet. Maar Lyla geeft geen antwoord meer. Ze blijft maar snikken en kan niet meer praten. Uiteindelijk zegt haar moeder dat het voorbij is en loopt Xandra de kleedkamer uit.
Op hetzelfde moment is Maikels liedje afgelopen en ontploft de zaal. Het publiek juicht en klapt harder dan ooit.
In de kleedkamer stopt Lyla met huilen. Ze ziet er moe uit en de mascara druipt over haar wangen. Haar moeder geeft haar een papieren zakdoekje en vraagt: 'Waarom heb je al die dingen toch gedaan, meisje?'
Lyla schraapt haar keel. 'Voor jou,' zegt ze. 'Voor jou en papa. Omdat ik zo graag wilde dat jullie trots op me zouden zijn.'
Ik kijk naar mijn handen en denk aan mijn eigen vader. Voor hem zou ik zulke dingen nooit doen. Maar nu ik weet wat er met Lyla en haar ouders aan de hand is, kan ik niet meer boos op haar zijn.

Verzoening

‘Ga je maandag echt naar het politiebureau?’ vraag ik aan Roos. Mijn moeder heeft ons opgehaald met de auto. Zij en Roos zitten voorin. Maikel, Simone en ik zitten achterin. Het is halftwaalf. De show was al om tien uur afgelopen, maar Maikel moest zijn wond nog laten hechten en met de politieagent praten over wat er in de kleedkamer was gebeurd. Hij wist niet wat Roos had gezegd, dus ik dacht dat hij Lyla wel zou verlinken. Maar dat deed hij niet. Hij vertelde precies hetzelfde als Roos, alsof ze hem een bovennatuurlijke boodschap had gestuurd.

‘Nee, Lyla gaat zelf naar de politie,’ zegt Roos. ‘Dat zei ze toen we elkaar na de show op de gang tegenkwamen. Ze wil eerlijk zijn en alles vertellen over haar plan om Maikel uit te schakelen, en over Arnold Kist.’

‘Wie is Arnold Kist?’ vraagt mijn moeder. We hebben met z’n allen bij het gesprek met de agent gezeten, maar die naam is ze alweer vergeten.

‘De griezel die Maikel een stamp voor z’n kop heeft gegeven,’ zegt Roos. ‘Dat heeft hij minstens tien keer tegen die agent gezegd.’

‘O, die,’ zegt mijn moeder. ‘De nieuwe vriend van Lyla.’

Roos kijkt achterom en schudt haar hoofd. Simone en ik vinden

het wel grappig. Maikel niet. Hij zit treurig naar buiten te turen en zegt geen woord.
'Bijna goed, mam,' zegt Roos, die weer naar voren kijkt. 'Arnold heeft Maikel wel gemept, maar hij is niet de nieuwe vriend van Lyla. Dat was hij al voordat ze Maikel versierde.'
'Hoezo?' vraag ik. 'Had ze al verkering met hem voor ze Maikel kende?'
'Ja,' zegt Roos. 'Tenminste, dat dacht ze. Lyla was namelijk wel verliefd op Arnold, maar Arnold niet op haar. Hij deed alsof, omdat hij geld aan haar wilde verdienen.'
'Als een soort manager of zo,' zegt Simone.
Roos knikt. 'Arnold Kist was inderdaad haar manager. Hij zei dat hij haar beroemd ging maken. Maar dan moest ze wel eerst *Superster* winnen. Die kans was best groot, want ze kan beter zingen dan de andere kandidaten.'
'Behalve één,' zeg ik.
'Behalve één, ja,' zegt Roos. 'En dat was Maikel. Dus bedachten ze een sluw plannetje om hem eruit te gooien. Gelukkig liep alles heel anders dan ze hadden verwacht en vloog Lyla er zelf uit.'
Het gesprek valt stil. We horen alleen het geluid van de auto en af en toe het getik van het knipperlicht als mijn moeder een bocht om gaat.
Als we Simone thuis hebben afgezet vraag ik aan Roos: 'Hoe weet je dat eigenlijk allemaal? Dat Arnold Lyla's manager was en zo?'
'Van Merel,' zegt Roos. 'Ze kende Lyla al een tijdje. En haar vader heeft ook veel opgezocht, vooral over Arnold Kist. Die papzak heeft een strafblad van hier tot Tokio, dus daar zijn we mooi van af.'
Ik zie dat Maikel even opkijkt. De hele autorit heeft hij stug naar

buiten gekeken, tot hij de naam Merel hoorde. Toen draaide hij zijn gezicht naar voren, alsof hij plotseling wakker was geworden.
'Waarom heeft ze dan niets gezegd?' vraag ik. 'Als ze al die dingen wist, waarom heeft ze Maikel dan niet gewaarschuwd?'
'Omdat ze werd bedreigd door Lyla,' antwoordt Roos. 'Als Merel iets aan Maikel of iemand anders zou vertellen, zou Arnold haar of haar broertje in elkaar slaan. Daarom kon ze niets doen.'
Maikel zucht en kijkt weer naar buiten.
'Ze heeft jullie wél gewaarschuwd, trouwens,' zegt Roos. 'Toen jullie met z'n drieën naar die kleedkamer gingen en jij bij de deur van de vipruimte naar haar keek. Toen heeft ze kort met haar hoofd geschud om duidelijk te maken dat jullie niet moesten gaan. Maar omdat Lyla opeens naast haar kwam zitten, durfde jij niets meer te zeggen en zijn jullie in de val gelopen.'
'Dus het is allemaal míjn schuld?' zeg ik, terwijl ik aan dat ene stomme moment in de vipruimte denk.
'Het is niet jóúw schuld,' zegt Roos. 'Het is Arnolds schuld. Hij heeft ons allemaal te pakken genomen. Alleen mij kon hij niet aan, omdat Merel mij vlak voor ze het podium op ging heeft gebeld.'
'Dan heeft ze jullie toch nog gered,' zegt mijn moeder.
Roos kijkt weer achterom. Ze grijnst en steekt haar vuist omhoog. 'Nee,' zegt ze, 'dat heb ik gedaan!'

Mijn vader staat buiten op ons te wachten. Hij heeft zijn gewone kleren nog aan en rookt een sigaret. Twee jaar geleden is hij gestopt met roken, maar door alle toestanden met Maikel is hij weer begonnen.
Mijn moeder parkeert de auto en we stappen uit. We lopen nog niet naar binnen, omdat we weten dat Maikel eerst moet.

Maikel snapt het ook en loopt naar mijn vader toe. 'Sssorry, p-p-pap,' zegt hij. 'Ssssorry vvvoor a-a-alles.'
Mijn vader gooit zijn vieze peuk weg en slaat zijn armen om Maikel heen. 'Het spijt mij ook, jongen,' zegt hij met een brok in zijn keel.
Ik kan wel lachen en janken tegelijk. Ik ben superblij dat het weer goed is tussen Maikel en mijn vader, maar wij staan er weer voor niks bij.
Na de omhelzing gaat Maikel naar binnen. Roos en ik willen achter hem aan lopen, maar mijn vader houdt ons tegen.
'Ik moet plassen, pap!' zeg ik ongeduldig. 'Héél nodig!'
'Ik ook,' zegt hij. 'Maar ik moet eerst iets anders doen.'
Roos en ik kijken hem verbaasd aan. Op dat moment stapt hij naar voren en omhelst hij mij met beide armen. Ik schrik me rot. Het is de eerste keer dat mijn vader zoiets doet. En hij doet het nogal hard, daar schrik ik ook van.
Vervolgens is Roos aan de beurt. Ze schrikt niet, omdat ze al wist wat er ging gebeuren. Maar ze is toch verrast, ik zie het aan haar ogen.
Als mijn vader haar heeft losgelaten zegt hij: 'Bedankt.'
'Bedankt voor wat?' vraagt Roos.
'Voor alles wat jullie voor Maikel hebben gedaan.'
'Geen probleem,' zegt Roos. 'Verhoog ons zakgeld maar met vijftig euro. En kap met paffen, je stinkt als de neten.'

Met eigen ogen

De hele week voor de finale zit Maikel in zijn kamer. De situatie is dezelfde als in het begin. Het enige verschil is dat hij niet meer zingt. Hij draait wel eens een plaatje of kijkt een filmpje op YouTube, maar zingen doet hij niet. Niet voor zichzelf, niet voor ons en ook niet voor de finale.

Soms, als het even stil is in zijn kamer, sluip ik stilletjes de trap op en leg ik mijn oor op de deur om te horen wat hij doet. Maar meer dan het tikken van zijn vingers op het toetsenbord van zijn pc hoor ik niet.

Op vrijdagmiddag luister ik weer. Ik zit op een kussentje op de grond en druk mijn oor tegen de deur. Maikel zit nog steeds te typen. Volgens mij is hij aan het chatten, want hij typt telkens een stukje en stopt dan even om te lezen wat de ander te zeggen heeft.

Na tien minuten gaat plotseling de deur open. Ik schrik en kijk omhoog. Maikel ziet er niet boos uit. Hij schudt alleen zijn hoofd, alsof hij al wist dat ik er zat.

Voordat ik iets kan zeggen pakt Maikel mijn hand en trekt mij omhoog. In zijn kamer gaan we voor het bureau zitten. Op het beeldscherm van de pc is een chatsite te zien, dezelfde die Simone en ik ook wel eens gebruiken.

'Zat je te chatten?' vraag ik.
'Jjja,' zegt hij. 'Mmmet Ca-Ca-Carlo, E-E-Edwin en Mmmerel.'
'Het vriendengroepje uit de Sterrenvilla. Was het leuk?'
Met de muis zet Maikel de pc uit. 'Gggaat wwwel,' zegt hij.
'Hoe bedoel je, gaat wel? Was het niet leuk dan?'
Maikel trekt zijn schouders op. 'Jjjawel. Mmmaar ik mmmis iets.'
'Wat mis je dan?'
'D-d-dat ik mmmezelf k-k-kan zzzijn. D-d-dat k-k-kon ik nnniet b-b-bij Ly-Ly-Lyla. En nnnu wwweet ik nnniet mmmeer hhhoe hhhet mmmoet.'
Ik zie dat hij in de put zit. Daarom pak ik zijn hand en knijp er zachtjes in. 'Doe niet zo raar, Maikel. Je weet best hoe je jezelf moet zijn.'
'Hhhoe d-d-dan?'
'Gewoon zoals je nu bent: eenzaam, onzeker en bang.'
Met een ruk trekt hij zijn hand terug. 'D-d-dat is t-t-toch nnniet nnnormaal!' reageert hij gekwetst.
'Ja, dat is wél normaal. Er zijn duizenden tieners die zo zijn. De meesten durven er niet voor uit te komen, omdat ze zich schamen. Maar dat doe jij niet. Jij durft er zelfs over te zingen op tv, waar iedereen je kan zien.'
Maikel zucht en vouwt zijn armen over elkaar. Ik doe hetzelfde, om hem te pesten. Zo zitten we daar een tijdje, als twee koppige ezels. Uiteindelijk draait hij langzaam zijn gezicht naar mij toe en zegt: 'Mmmischien hhheb je wwwel ge-ge-gelijk. Mmmisschien mmmoet ik mmmezelf mmmaar a-a-accepteren zzzoals ik b-b-ben.'
'Dat heb je allang gedaan, sukkel,' zeg ik. 'Daarom kun je ook jezelf zijn bij Carlo, Edwin en Merel.'
Maikel zucht nog een keer en laat zijn armen zakken. 'En ge-ge-gelukkig wwworden? Wwwanneer k-k-komt d-d-dat dan?'

‘Vorige week,’ zeg ik, terwijl ik opsta. ‘Als je had opgelet tenminste.’
Maikel moppert nog wat na en zet zijn pc weer aan. Ik doe de deur open en ruik de heerlijke geur van gebakken aardappelen. Maikel ruikt het ook, maar hij blijft op zijn kamer zitten. Nog één dag, hoop ik.

Voor de finale zitten we aan de lange eettafel in de vipruimte. Merel heeft haar ouders en haar broertje Sven meegenomen, wij zijn er met z’n vijven en Simone en haar moeder zijn er ook. Het is best gezellig. Alle ouders kunnen goed met elkaar opschieten, Sven heeft een kleurboek en stiften bij zich en wij kletsen ook wel een eind weg. Toch hangt er een treurige sfeer, omdat alles wat er gebeurt de laatste keer is: de laatste soundcheck, de laatste liedjes, de laatste uitslag. Daarna is het *Superster*-avontuur voorbij.
Om kwart voor acht gaat iedereen de zaal in. Alleen Merel, Maikel, Roos en ik blijven achter. Het publiek mag om acht uur naar binnen en de show begint om halfnegen. Dat heeft Bram op het allerlaatste moment besloten, omdat Maikel en Merel maar één liedje willen zingen.
Merel is al bij de make-up geweest en heeft een nieuwe jurk aan. Ze ziet er schitterend uit, als een engeltje zonder vleugels. Maikel is nog niet bij de make-up geweest en ligt in zijn oude kleren op een bank.
‘Ga nou naar de make-up!’ zegt Roos voor de zesde keer.
‘La-la-later,’ antwoordt Maikel kalm. ‘Mmmerel is t-t-toch eerst.’
Roos en ik lopen nerveus door de vipruimte. We zouden hem het liefst naar de make-up sleuren. Maar Merel zegt dat we ons niet zo druk moeten maken. We kunnen beter met haar meegaan naar het podium. Ze kan wel wat extra steun gebruiken, zegt ze, en Maikel heeft zijn rust nodig.

'Hoezo, rust nodig?' zegt Roos. 'Die zombie ligt al een week in z'n nest te stinken. Nog even en hij fladdert als een vleermuis de zaal uit.'
Merel en ik schieten in de lach. Maikel grinnikt ook mee. Ik weet niet of het door het grapje komt of door de zenuwen, maar het is fijn om hem weer te zien lachen.
Even later komt Xandra binnen om Merel op te halen. Roos en ik gaan met haar mee. Maikel blijft lekker liggen, alsof hij nog uren de tijd heeft.
De uitzending is net begonnen. Mandy en Pepijn staan op het podium en presenteren samen de show. Ik heb Merels hand weer vast en voel dat ze warme zweethandjes heeft.
Na vijf minuten is ze aan de beurt. Mandy kondigt haar aan en onder een luid applaus loopt ze het podium op. Om Merel op haar gemak te stellen maakt Mandy een praatje met haar. Ook Pepijn stelt haar een vraag, en dan is het zover. Mandy en Pepijn verdwijnen, het licht wordt gedimd en de muziek begint. Aan het intro hoor ik dat het 'When I look at you' van Miley Cyrus is, het allerbeste nummer voor dit moment.
Vol bewondering sta ik te luisteren als Roos mij een por geeft. 'Moet je dat zien,' fluistert ze, en ze wijst naar links.
Ik doe wat ze zegt en zie Maikel staan. Hij heeft nog steeds zijn gewone kleren aan en kijkt met grote ogen naar Merel, die de laatste regel van het refrein zingt: '*That's when I, I, I look at you.*'
Ik kijk weer naar Merel en zie dat ze heel even opzij kijkt, alsof ze wist dat Maikel er zou staan en ze die laatste woorden speciaal voor hem zingt.
'Wat denk je?' fluister ik tegen Roos. 'Zou hij het nu wél begrijpen?'
Roos zegt niets terug. Ze heeft het spelletje ook in de gaten en kan haar ogen niet van Merel en Maikel afhouden.

Ook tijdens het volgende refrein kijkt Merel even naar Maikel. Ze doet het heel onopvallend, zodat niemand in de zaal het ziet. De enigen die het zien zijn wij, en Maikel.
Direct na het liedje klinkt er een hoop gejuich, geklap en gelfluit uit de zaal. Roos en ik klappen mee. Ik kijk naar links om te zien of Maikel ook klapt, maar hij staat er niet meer. Net zo plotseling als hij is gekomen, zo plotseling is hij ook weer verdwenen.

En de winnaar is...

Ik loop naar de gang. Maikel is hooguit tien seconden weg, dus zo ver kan hij nog niet zijn. Maar de gang ligt er verlaten bij en ik hoor niets.
'MAIKEL!' roep ik. 'WAAR ZIT JE?'
Ik hoor nog steeds niets en ren naar de vipruimte. Daar kijk ik onder de banken en tafels, maar Maikel is nergens te vinden. Op de tv zie ik Merel en Mandy op het podium.
'Hoe voel je je nu?' vraagt Mandy.
Merel kijkt naar de plek waar Maikel heeft gestaan en zegt: 'Weet ik niet.'
Mandy lacht en slaat een arm om Merel heen. 'Hoe bedoel je?' zegt ze. 'Je hebt fantastisch gezongen, het publiek vindt je geweldig, en jij weet niet hoe je je voelt?'
'Dat bedoelt ze niet, stomme trut,' zeg ik hardop. 'Ze heeft net een liedje gezongen voor de jongen waar ze al twee maanden verliefd op is, en nu is die jongen weg. Dáárom weet ze niet hoe ze zich voelt.'
'O, dat,' zegt Merel met een stroef glimlachje. 'Dat voelt goed.'
Mooi zo, denk ik als ik de vipruimte uit loop. Nu mijn halfgare broer nog vinden en het sprookje is compleet.
Ik ren weer door de gang. De tijd begint te dringen. Als ik hem

niet gauw vind is Merel automatisch de winnaar. Niet dat dat zo erg is, maar ik heb liever dat Maikel zingt en verliest, dan dat hij niet komt opdagen.
In een razend tempo doorzoek ik de kleedkamers. Ze zijn allemaal leeg, behalve de vierde, daar zitten de meisjes van de make-up tv te kijken.
'Hebben jullie Maikel gezien?' vraag ik.
'Nee,' zegt het ene meisje.
'We hebben hem niet eens opgemaakt,' zegt het andere meisje.
Zonder iets te zeggen trek ik de deur achter mij dicht en ga naar de wc's. In de heren-wc kruip ik vlug langs de deurtjes. Onder het vijfde deurtje zie ik twee zwarte schoenen staan met een bruine broek erop.
'Pap? Ben jij dat?'
'Ja, wat nou weer?' bromt mijn vader.
'Weet jij waar Maikel is?'
'Bij het podium denk ik. Hij was hier net om zijn handen te wassen en...'
'Bedankt!' roep ik, en ik sprint het stinkhok uit.
Vijf tellen later sta ik naast hem. 'Waar was je nou?' vraag ik.
Merel en Roos zitten op twee stoeltjes. Merel drinkt een flesje water leeg en Roos draait het volgende flesje open.
Op het podium begint Pepijn de tweede finalist aan te kondigen. Mandy staat naast hem en zegt niets, net als Maikel. Met zijn handen in de zakken van zijn blauwe sweater staart hij voor zich uit. Hij doet nog steeds alsof hij heel relaxed is, maar aan zijn stijve kaken zie ik dat hij stiknerveus is.
In een opwelling grijp ik zijn arm vast en wil nog van alles zeggen. Maar het enige wat er over mijn lippen komt is: 'Je kleren, Maikel. Zo kun je toch niet optreden.'
Langzaam draait Maikel zijn gezicht naar mij toe. 'Ik mmoest

t-t-toch me-mezelf zzzijn?' reageert hij kribbig. Hij ziet dat ik iets terug wil zeggen, maar hij geeft me geen kans en zegt: 'Láát mmme d-d-dan me-mezelf zzzijn!'
Pepijn is klaar met de aankondiging en roept Maikels naam. Het publiek begint te klappen en te juichen.
'OKÉ,' roep ik boven het gejuich uit, 'WÉÉS DAN MAAR JEZELF!' Ik laat zijn arm los, wrijf zijn haar in de war en duw hem het podium op.
Zodra het publiek hem ziet, slaat het gejuich weer om in geroezemoes. Ze hadden Maikel strak in het zwart verwacht, niet in een vale spijkerbroek met een oude sweater en vieze gympen.
'Zo, jongen,' zegt Pepijn als Maikel bij hem staat, 'je ziet er heel anders uit vandaag.'
'Nnnee,' zegt Maikel, 'zzzo zzzie ik er a-a-altijd uit.'
Het publiek begint te lachen. Ze lachen hem niet uit, zoals de eerste keer toen hij op het podium stond. Ze vinden zijn opmerking gewoon leuk, denk ik. Net als Merel en Roos, die giechelend naast mij staan.
'Dus dit is wie je echt bent?' vraagt Alicia.
'Jjja, d-d-dit is wwwie ik e-e-echt b-b-ben,' zegt Maikel.
Het publiek lacht weer en begint te klappen.
'Betekent dat ook dat we nu je echte stem gaan horen?' vraagt Peter.
Oei. Die vraag had niemand verwacht. Het publiek wordt stil en iedereen kijkt ademloos naar Maikel.
'Nnnee,' zegt hij. 'Ik hhheb gggeen ei-eigen stem. D-d-daarom hhheb ik a-a-al die a-a-andere stemmen nnnagedaan. O-o-omdat ik nnniet mmeer ge-gepest wwwil wwworden en ei-ei-eindelijk mmmezelf k-k-kan zzzijn.'
Ik kijk naar de kleine tv en zie dat er een traan over zijn wang rolt. Hij veegt hem er snel af, maar iedereen heeft het gezien.

'Nou ja,' zegt Peter teleurgesteld, 'ga maar zingen dan.'
Pepijn wenst Maikel veel succes en loopt met Mandy het podium af. Het felle licht in de zaal gaat uit, Maikel sluit zijn ogen en de muziek begint. Met een brok in mijn keel kijk ik naar Maikel, die zijn laatste vrouwenliedje zingt. Het mooiste vrouwenliedje dat er bestaat, maar ook het moeilijkste. Vooral het spetterende refrein: '*This is my life, today, tomorrow, love will come and find me. But that's the way that I was born to be. This is me. This is me.*'
Ik veeg de tranen uit mijn ogen. Op de tv zie ik dat de mensen in de zaal ook geraakt zijn. Sommige mensen hebben een zakdoekje gepakt, anderen zitten met open mond te luisteren. Ik kijk weer naar Maikel, die het tweede couplet zingt. Het zweet glimt op zijn gezicht. Ik heb het ook heet gekregen, van de opwinding en van het nummer, dat steeds beter en heftiger wordt.
En dan gebeurt het. Terwijl ik gespannen naar de tv kijk en Maikel voor de tweede keer aan het refrein begint, gaan zijn ogen open. Ik schrik ervan en verwacht dat zijn stem zal veranderen. Maar zijn stem verandert niet. Hij zingt nog net zo goed als altijd.
Als het liedje voorbij is staan de mensen massaal op en juichen Maikel zo ongeveer de hemel in. Maikel glimlacht even. Dan draait hij zich om en loopt van het podium af. Niet aan onze kant, maar aan de andere kant.
'Waar gaat die flapdrol nou heen?' zegt Roos.
We zien hem aan de overkant tussen de zwarte gordijnen verdwijnen. Hij komt niet meer terug, dat weet ik zeker. Niet voor een praatje met Mandy en Pepijn, en ook niet voor het publiek, dat maar blijft klappen en keihard 'MAIKEL! MAIKEL! MAIKEL!' roept. Zo ging het in het begin ook, toen hij zijn eerste liedjes zong en iedereen hem fantastisch vond. Maar later, toen hij ver-

liefd werd op Lyla en saaie liedjes ging zingen, keerden ze hem de rug toe. Daarom komt hij niet meer terug, omdat ze hem eerder in de steek lieten en hij nu ineens weer de held is.

Drie kwartier later, als alle sms'jes zijn geteld, verschijnt Maikel weer op het podium. Waar hij al die tijd heeft gezeten weet niemand. Samen met Roos heb ik het hele theater doorzocht. We hebben zelfs met een zaklantaarn om het gebouw heen gelopen om te zien of hij ergens achter de bosjes zat. Maar we vonden hem niet. En nu staat hij daar opeens, naast Merel, alsof er niets is gebeurd. Ze kijken recht de zaal in en wachten op de uitslag, die Mandy elk moment bekend kan gaan maken.
Roos en ik kijken op de kleine tv naar de gezichten van Maikel en Merel. Ze proberen rustig blijven, maar iedereen ziet dat ze zenuwachtig zijn.
Mandy begint een lang verhaal af te steken over het succes van de show en de geweldige talenten die we de afgelopen weken hebben gezien. Dan brengt Pepijn haar een gouden envelop, die ze langzaam openmaakt.
Ik word knettergek van het getreuzel en ga weer naast het podium staan, waar ik alleen de ruggen van Maikel en Merel kan zien. Ze staan dichter bij elkaar dan net, maar ze raken elkaar niet aan.
Mandy kucht even. Ze heeft de kaart uit de envelop gehaald en begint eindelijk aan het afgezaagde zinnetje: 'De winnaar... van *Superster*... is geworden...'
Mijn hart bonkt in mijn oren. Ik vouw mijn armen strak over elkaar en zie dat Merels hand Maikels hand aanraakt. Heel voorzichtig. Eerst de nagels, om te voelen of het mag. Daarna, als Maikel haar niet afwijst, drukt ze haar hele hand tegen de zijne en strengelen hun vingers zich in elkaar.

‘Roos!’ fluister ik opgewonden. Maar ze hoort me niet, want Mandy roept: ‘MAIKEL WESTBROEK!’ en mijn stem verdwijnt in een storm van gejuich.

Su-Su-Supergewoon!

De zomervakantie zit erop. Het leven gaat weer z'n normale gangetje. Nou ja, normaal. Maikel, die vroeger door iedereen werd uitgelachen en gepest, is nu de populairste jongen van de school. Toen de andere brugmuggen uit mijn klas hoorden dat ik het kleine zusje van Maikel Westbroek ben, wilden ze allemaal op mijn verjaardag komen. Roos verdient bakken met geld door foto's van Maikel met een zelfgemaakte handtekening te verkopen. En mijn vader, die sinds de vakantie weer gewoon naar zijn werk gaat, moet steeds uitleggen hoe het is om een beroemde zoon te hebben.
Helemaal normaal is ons leven dus nog niet. Vooral in de dagen na de finale, toen er weer honderden gillende fans voor ons huis stonden en mijn moeder niet eens naar buiten kon om boodschappen te doen. Daarom zijn we er op een nacht maar stiekem vandoor gegaan, naar een super-de-luxe vakantievilla in Italië. Daar hebben we vier weken gezeten. Eerst een week met z'n vijven, om lekker uit te rusten en na te praten over alles wat we de afgelopen tijd hadden meegemaakt. Daarna met Simone en haar moeder, die na hun reisje naar Parijs met de trein naar ons toe waren gekomen. En de laatste twee weken kwamen Merel, haar ouders en Sven er ook nog bij. Eigenlijk zouden ze

in België gaan kamperen, maar omdat Merel en Maikel graag bij elkaar wilden zijn, heeft mijn vader ze met het vliegtuig naar Italië laten komen. De villa had zeven slaapkamers en een buitenhuisje, dus er was plek zat. En mijn vader vond het ook wel gezellig, geloof ik, omdat hij goed met Merels vader kan opschieten.
Zo waren we weer met z'n elven, net als tijdens het eten voor de finale. Alleen hing er nu geen treurige sfeer meer maar een gezellige, omdat alles wat er gebeurde de éérste keer was: de eerste echte vriendschap van mijn vader, de eerste liefdesvakantie van Maikel en Merel en de eerste keer dat ik met een zwemdiploma in een zwembad lag. Dat diploma had ik drie dagen voor de finale gehaald, tegelijk met een stelletje krijsende kleuters. Mijn vader was er ook bij. Hij zat op de tribune en riep de hele tijd: 'Heb je je opblaasbandjes wel om?' 'Zal ik de reddingsbrigade bellen?' en 'Als je verzuipt maak ik een sauna van je kamer!'
Mijn vader is erg lollig geworden de laatste tijd. Zo lollig dat ik af en toe een stoel onder de klink van de wc-deur zet, zodat hij een uurtje van zijn eigen stank kan genieten.
In de vakantie heeft hij een timmercursus gevolgd bij een oud mannetje in het dorp. Samen met Merels vader, die niet eens een spijker recht in de muur kon slaan. Ze gingen er elke middag om twee uur heen en kwamen om zes uur terug, met een buik vol wijn en duizend splinters in hun handen. Uiteindelijk heeft Merels vader een vogelhuisje gebouwd, en mijn vader een klein tafeltje om zijn biertje op te zetten als hij tv-kijkt. Het is een belachelijk wiebeltafeltje, maar hij is er heel trots op, omdat het zijn eerste geslaagde timmerwerkje is.
Roos is de hele vakantie met haar uiterlijk bezig geweest. Merel had een doos nieuwe make-upspulletjes voor haar meegebracht, en ze heeft alleen maar sla, komkommers en tomaten gegeten.

Daardoor is ze bijna zes kilo afgevallen en ziet ze eruit als een prinsesje. Een prinsesje waar je wel voor moet oppassen, want ze is nog steeds zo sterk als een beer.
Tussen Maikel en Merel is het dik aan. Dat wilden ze eigenlijk al toen ze elkaar voor het eerst zagen. Maar omdat ze allebei te verlegen waren om de eerste stap te zetten, had Lyla hem tijdelijk ingepikt. Nu zijn ze niet meer zo verlegen en hebben ze al negen weken officieel verkering. Ze doen het wel rustig aan, zeiden ze in de villa. Maar wat is rustig als je smoorverliefd bent? Handjes vasthouden tijdens het wandelen? Gezellig babbelen op een avondje uit? Een zuinig zoentje voor het slapengaan? Nee dus! Niet als je vijftien en zestien jaar bent. Dan bestaat het woordje 'rustig' niet meer. Niet bij gewone mensen en ook niet bij Maikel en Merel. Ze laten het alleen niet merken waar anderen bij zijn. Maar Roos, Simone en ik hebben het allang gezien. Toen ze lekker op het strand lagen te bakken, toen ze 's avonds naar de film en de kermis in het dorp gingen, overal waar we ze 'toevallig' tegenkwamen, waren ze vet aan het zoenen en konden ze geen seconde van elkaar afblijven. Na een tijdje zijn we maar teruggegaan naar de villa, want de hele tijd naar een klef stelletje kijken wordt ook vervelend.
Toch zijn we heel blij voor Maikel dat hij met Merel gaat. Hij zit bijna nooit meer in zijn kamertje, hij is een stuk vrolijker geworden en hij is niet meer zo onzeker over zijn uiterlijk. En hij is weer op spraakles gegaan, drie keer per week. Wat mijn ouders in tien jaar niet voor elkaar hebben gekregen, heeft Merel met een paar zoentjes gefikst.
Het enige slechte nieuws is dat hij niet meer zingt. Net nu hij waanzinnig beroemd is en overal in de wereld – van Amerika tot Australië – concerten kan geven, is hij ermee gestopt. Gelukkig komt er in september een cd uit met al zijn liedjes uit *Superster*,

en in oktober een dvd met de hoogtepunten uit de shows. Misschien begint het dan toch weer te kriebelen en vliegt hij alsnog de wereld rond. Ik heb alvast een nieuw paspoort aangevraagd, want daar wil ik niets van missen.

Op de laatste avond van de vakantie, toen we even met z'n tweetjes bij het zwembad zaten, vroeg ik waarom hij niet meer wilde zingen.

'O-o-omdat ik e-e-eerst wwwil le-le-leven,' zei hij.

Ik nam een slokje cola. De zon was al twee uur onder, maar het was nog snikheet in de tuin. 'Hoezo, leven?' zei ik. 'Dat doe je toch al vijftien jaar?'

Maikel glimlachte. 'Nnnee, ik be-be-bedoel ge-ge-gewóón le-le-leven, a-a-als een ge-ge-gewóón mmmens. Nnniet a-a-als een ge-ge-gevangene.'

Ik drukte het koele glas tegen mijn wang en gaf het aan Maikel. 'Dus dat is wat je wilt: een gewóón leven als een gewóón mens.'

'Jjja,' antwoordde Maikel, nadat hij het glas had leeggedronken en op de grond had gezet. 'Su-su-supergewoon!'

Liedjes